MENTEPRO

MENTEPRO

GENERA UNA MENTE PRÓSPERA

POR
FERNANDO SÁNCHEZ

MENTEPRO

Genera una mente próspera

Autor: Juan Fernando Sánchez Gutiérrez

Prólogo: Osmary Acebal Rosa

Editores: Arlette Peñalver Hernández, Itzel Rosario Noriega Pérez

Fotografo: Luis Enrique Rama

Ilustrador: Romina Victoria Rutiz

Colaborador: Suleika Guadalupe Rodríguez Ontiveros

2da Edición: Junio 2021

Título de la serie: Mente

Número de libro: 1

DEDICATORIA

Dedicatoria especial a Raúl Martell, amigo y colaborador, quien falleció el día en que terminé la revisión de este libro y cuya muerte me hace ver que aún hay mucho por hacer; también a Josefina Jiménez. A mi querida alumna Ana Lydia Damián Trejo, quien trascendió de este mundo durante la búsqueda de su sanación.

Fernando Sánchez

ÍNDICE

PRÓLOGO

"El cielo es el límite"

Y si te digo que esta frase, quizás, pudiera perder sentido para ti después de este encuentro con "MENTEPRO" ¿Qué me responderías? ¿De locos no? Yo también opinaba lo mismo, hasta que llegó a mis manos este maravilloso ejemplar, pensaba que el cielo era el límite. Sin embargo, me gustaría transmitirte a ti, querido y afortunado lector que hoy cuentas con este funcional ejemplar, que el límite realmente se encuentra en nuestra MENTE.

"MENTEPRO" me ha dejado un excelente aprendizaje, en poco más de 120 páginas ha sido increíble todo lo que he podido comprender, qué digo "increíble", resulta sorprendente para mí toda esta información tan valiosa y en ello creo.

Tomar un café con estas líneas me ha cambiado la vida. Desde el comienzo te enamoras, no puedes parar de leer estos temas, que en ocasiones se nos hacen tan complicados.

Siéntete afortunado de contar con esta pequeña, pero muy completa guía entre tus manos, en la que encontrarás diferentes pasos a seguir para lograr ser una persona con una mente de PROvecho.

¡Este compendio es verdaderamente transformador! Descubrir a través de tus resultados, qué información existe en tu inconsciente biológico que no te permite avanzar, me resulta muy interesante. Apasionante ha sido darme cuenta que nuestra vida es simplemente la proyección de ese inconsciente que sólo actúa para protegerte, comprenderlo desde la perspectiva de Fernando Sanchez y la Biodesprogramación, tranquilamente te hará despertar a tu realidad, cómo lo ha hecho conmigo.

"MENTREPRO" es un libro muy fácil de leer, entender y aplicar, aún para personas que no tengan ni la más mínima idea de lo que se habla en él. Cambiará la percepción de nuestros eventos cotidianos, dándole un giro hacia el lado positivo y haciéndote ver que todos tenemos creencias y estas nos condicionan, por si fuera poco, nos ayuda a transformarlas y lograr, de esta forma, alcanzar la PROsperidad que tanto anhelamos.

La realidad no existe, existe sólo nuestra propia verdad y esta está condicionada por nuestro cerebro. ¡ME QUEDO PERSONALMENTE CON ESO! Aquí encontrarás un modo simple de comprender esto, lo más genial es que nos explica cómo podemos hacer que esta "realidad" cambie (pues si se puede). Somos creadores, ya lo comprenderás, cuando llegues al final de estas páginas.

Fernando Sanchez en su generosa forma de ser, también nos comparte e incluye sus vivencias personales cómo ejemplo de prosperidad, comprensión y éxito.

"MENTEPRO" es un libro que puedes leer corrido o abrir simplemente al azar. Un excelente regalo para alguien que quieras y sepas que desea un cambio en su vida o quizás simplemente para generar cambios personales y de PROvecho en la tuya. Te hace sentir que se acortan los caminos, se respira más ligero, se disfruta y se sana a través de estas líneas, te haces responsable de todo cuanto pueda suceder en tu vida, haciéndote consciente del gran poder que tienes.

Enriquecedor, fácil de entender y dónde queda claro que tú tienes todo, eres PROsperidad, eres salud, eres la felicidad y paz en todas sus expresiones.

Venimos a ser felices. Con amor y sin apego. Son las frases preferidas de Fernando y en este ejemplar nos transmite justamente eso; soltar patrones, creencias, reprogramar, sin apego al resultado es la clave, a su vez y paradójicamente, nos habla de cómo guiarnos por los resultados para lograr entrar a ese inconsciente que sólo actúa para protegernos.

Desde el amor y la comprensión, con un gigante corazón como el de una bella jirafa, mucha empatía, conocimiento y constancia, con su gran ejemplo y postura relajada al escucharte y guiarte, un ser creador, próspero, sincero y amoroso, que sin esperar nada a cambio te cambia la vida, ese es Juan Fernando Sanchez, un hombre que, con su sonrisa de niño comprensivo, hace que sonrías, un ser que desde la humildad dedica su tiempo a amar a los demás. Crear métodos 100% confiables, logrando un bienestar emocional en él y todos los que lo rodean, dispuesto a compartir y con su alma transparente, dejando su ejemplo y sabiduría sanadora en este mundo.

Estimado lector, deseo que disfrutes tanto como yo lo he hecho desde el principio y hasta el final del noviazgo que hice con esta lectura. Un libro que sientes que te comprende a ti, fiel, amoroso, sincero, seguro y que te lleva hacia tu autoconocimiento sin tanto rodeo.

Ya eres abundante, exactamente como el Universo en el que vivimos, comprenderlo es el camino. Ser PRÓspero es darse cuenta que ya lo eres. ¡Gracias mi Fer por tanto!

Osmary Acebal Rosa

¿QUÉ ES LA BIODESPROGRAMACIÓN?

La Biodesprogramación es el acompañamiento terapéutico a una persona para buscar y encontrar una emoción oculta e inconsciente asociada a un síntoma para reconocerla, expresarla, comprenderla, trascenderla y favorecer la recuperación del bienestar perdido.

¿QUIÉN ES FERNANDO SÁNCHEZ?

Juan Fernando Sánchez Gutiérrez es empresario, originario de Guadalajara, Jalisco, México. Licenciado en Comunicación Social por la Universidad de Colima, licenciado en Mercadotecnia por la Universidad de Veracruz y reconocido con un Doctorado Honoris Causa por la Universidad Internacional de Desarrollo Humano y Liderazgo.

Ha desprogramado biológicamente a más de 5000 personas y ha impartido conferencias en México y España, con una gira confirmada por Colombia, Argentina, Chile y Bolivia. Con su experiencia ha creado su propia técnica, a la que denomina Biodesprogramación con ella y sus diferentes cursos de Biodesprogramación de Síntomas ha recorrido toda la República Mexicana, utilizando coaching ontológico y demostrando que con el sistema BioCoaching es muy sencillo biodesprogramar desde un padecimiento o síntoma de "enfermedad", hasta detectar y eliminar patrones de conducta que nos llevan a vivir de cierta manera y a vivenciar experiencias que no deseamos para poder recuperar el bienestar perdido.

Cuenta con una red de casi 300,000 seguidores en todo el mundo, entre Facebook, YouTube, Instagram, Twitter y Tik Tok, por arriba de 600 alumnos a nivel mundial y 3,000 asistentes a sus conferencias.

Es fundador del Instituto de Biodesprogramación Fernando Sánchez, en donde emplea su método personal para capacitar y certificar biodesprogramadores de manera presencial y online.

**Biografía completa de Fernando Sánchez*

INTRODUCCIÓN

Durante mi recorrido en esta vida y en búsqueda de mi despertar espiritual, me he dado cuenta de que muchas personas, en su afán de producir dinero o llegar al éxito, han dejado de lado el sentido real de vivir, ser feliz.

Esas personas comúnmente piensan que hasta que no logren tener éxito o dinero comenzarán a ser felices y así pueden pasar toda su vida, pero lo que no comprenden es que si no se empieza por ser feliz, les costará mucho trabajo hacer dinero y lograr el éxito y la **PROsperidad** que tanto anhelan, tal vez, incluso, nunca llegará.

Entender esto no siempre es fácil, porque nunca nos sentamos a analizarlo a **PROfundidad**, de ahí la razón de ser de estas páginas.

Primero, hay que dejar claro que lo que debemos de buscar es la **PROsperidad**, pues abundantes ya somos, como te lo explicaré más adelante. Y este PROceso comienza aprendiendo cómo atraer la abundancia positiva, como la defino yo.

Para experimentar la abundancia positiva primero se necesita tener una mente con pensamientos positivos: nunca vas a atraer lo que no eres. Entonces, para ser abundantemente positivo es necesario ser feliz si no se es feliz nunca se vibrará en positivo, lo que causará que nuestra mente, al percibir que no somos felices porque carecemos o nos faltan elementos para serlo, atraerá la carencia, porque ese es el nivel en el que estamos vibrando (me falta = carencia) y al percibir carencia, la única abundancia que tendrás es precisamente de carencia, por lo tanto, nunca habrá **PROsperidad** en nuestras vidas.

ME FALTA = CARENCIA

En este libro me dirijo a ti con el corazón abierto y el PROpósito de transmitirte mis conocimientos como biodesprogramador de la mente humana, para que con ello puedas encontrar esos PROgramas biológicos inconscientes (creencias), que te han evitado experimentar la abundancia positiva y, por lo tanto, lograr una vida PRÓspera.

La meta de este libro es **desPROgramar** tu mente y **rePROgramarla**, para lograr una **MentePRO** que te lleve a vivir una vida **PRO.**

¿QUÉ SIGNIFICA PRO Y POR QUÉ EL TÍTULO DE ESTE LIBRO ES MENTEPRO?

Según las definiciones de Oxford Languages, la palabra **PRO** se refiere a la ventaja o provecho de cierta cosa: *"una vez estudiados todos los pros y los contras, decidió finalizar su carrera de futbolista".* Indica que algo se hace en favor o en ayuda de algo o de alguien.

Etimológicamente el término ***'PRO'*** proviene del latín vulgar ***'PROde'*** (cuyo significado es 'provecho') y a su vez, este procede del latín común ***'PROdest'*** (que significaba 'de utilidad', 'es útil'). Por tanto, la forma 'de PRO' significa literalmente 'ser [alguien] de PROvecho'.

También lo utilizo por ser un prefijo que nos lleva a explicar que una **MentePRO** es una mente **PROgramable** y por tal motivo podemos convertirla en una mente **PRÓspera, PROvechosa** y **PROductiva**, pero para lograrlo, como podrás ver en este libro, tenemos que **desPROgramar** y **rePROgramar** nuestra mente.

Seguro estoy de que si aplicas en tu vida lo que te comparto en este libro, sacarás mucho **PROvecho** del mismo.

Te hablaré de los conceptos básicos que te ayudarán a biodesPROgramar la carencia y te guiarán en el camino para tomar consciencia hacia la **PROsperidad.**

Exploraremos las creencias, que sostienen y mantienen nuestra vida, cuyo efecto puede generar consecuencias tanto buenas como malas, especialmente las más comunes acerca de la abundancia, aquellas que nos impiden generar dinero, éxito y **PROsperidad.**
También te compartiré siete puntos importantes para que inicies un cambio PROfundo en tu vida, sin perder de vista que este es paulatino y no sucede por arte de magia. Estos siete puntos te permitirán activar la **BioPROsperidad**, siempre y cuando estés en ***modo posibilidad,*** es decir, que creas que esto puede ser.

Notarás que este libro es, en algunos puntos, personal, ya que comparto algunas de mis vivencias con la esperanza de que con ellas se pueda alcanzar un mayor grado de aprendizaje y comprensión de los temas. En estas vivencias plasmo cómo ha sido para mí y para algunos de mis alumnos el darnos cuenta de estos PROgramas que no nos dejaban vivir la abundancia positiva y la **PROsperidad**, y cómo fue generar un cambio para desPROgramarlos biológicamente.

Antes de comenzar, te pido que durante toda la lectura de este libro te hagas esta pregunta y la tengas en mente, ya que seguro te ayudará a ir despertando la consciencia:

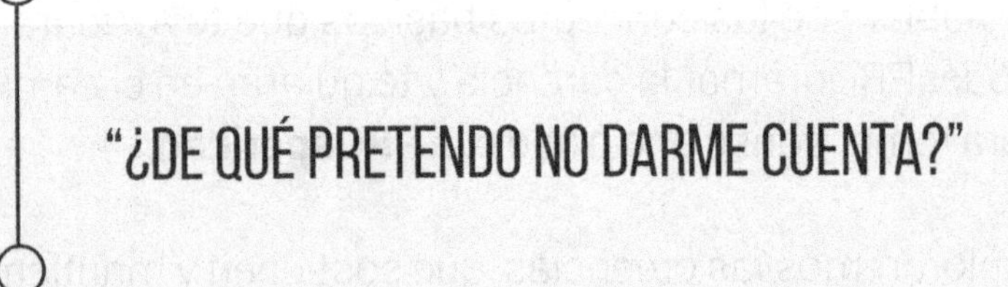

Sin más que decir, te invito a acompañarme en esta travesía llena de conocimientos que te ayudarán a tener tu propio Biodespertar de Consciencia para lograr ser una persona con **MentePro**.

1

HAY QUE GENERAR UNA MENTEPRO PARA TENER UNA VIDA PRO

A lo largo de nuestra vida hemos escuchado las palabras abundancia y **PROsperidad**, y muchas veces caemos en el error de pensar que significan lo mismo, pero no es así, por lo que hay que comprender a qué se refiere cada una.

Podemos definir la abundancia como una gran cantidad de algo, en nuestra vida tiene relación con la madre biológica (o quien haya adoptado ese papel), ya que ella es quien nos brinda el alimento por primera vez, por lo tanto, lo que deseamos obtener está muy relacionado con nuestra madre (tener y saber tener). La PROsperidad, por su parte, es generar mucho con poco, así como el o los logros en lo PROfesional y está vinculada con la parte paterna, ya que el padre biológico (o quien haya jugado este rol), es quien PROgrama la PROsperidad.

ES IMPORTANTE QUE COMPRENDAS QUE LA PROSPERIDAD NUNCA LLEGA CUANDO NO HAY FELICIDAD, PODRÍA ASEGURAR QUE NO EXISTE UNA MENTEPRO SI LA PERSONA NO ES FELIZ.

Muchas personas relacionan el concepto de abundancia con cosas nuevas o con tener mucho dinero y éxito, pero no siempre es así. Existen personas que son abundantes, pero en aspectos negativos, como de carencia o de deudas. La realidad es que todos en este planeta Tierra somos abundantes, basta ver las plantas, los animales, los insectos, los árboles, etcétera; todo existe en este plano en abundancia. ¿Cómo es entonces que estamos buscando la abundancia? ¡Esa ya la tenemos! Es más, nacimos abundantes, pues pertenecemos a este sistema, a esta naturaleza.

Por el contrario, no todos somos PRÓsperos, ya que la PROsperidad es hacer mucho con poco. Todos somos abundantes y generalmente la pregunta que nos hacemos es ¿por qué no somos abundantes? cuando deberíamos preguntarnos si en realidad somos PRÓsperos.

AHORA QUE SABES QUE ERES UN SER ABUNDANTE PORQUE PERTENECES A ESTE MUNDO, DONDE TODO ES ABUNDANCIA, PREGÚNTATE: ¿EN QUÉ ERES ABUNDANTE? ¿ERES REALMENTE PRÓSPERO?

EL UNIVERSO ES ABUNDANTE

La abundancia existe y es parte de nuestra vida, hay abundancia en todo y todo el tiempo. Muchas personas viven creyendo que existe la carencia, por ejemplo, el no tener el dinero suficiente, esa creencia se vuelve realidad, nunca les alcanza el dinero, pero apuesto que si cambiaran lo que creen, cambiarían esa realidad.

LA NATURALEZA TE DARÁ EN JUSTA MEDIDA LO QUE CREAS QUE TENGAS DERECHO DE RECIBIR.

La naturaleza que nos rodea es abundante de alimento, de felicidad, de problemas, es abundante en todo. No importa a donde miremos, todo es abundante, nos dará la opción de elegir entre distintos colores y formas. Si le pedimos una rosa a la naturaleza, ella nos dará diez, o tal vez cien, quizá hasta mil.

El problema radica en que hemos olvidado que somos parte de esa naturaleza. Miramos todo lo que nos rodea como si fuéramos ajenos a este planeta, por consiguiente, a esta naturaleza abundante.

Es tiempo de darnos cuenta de que vivimos en este planeta abundante de todo, pero sobre todo que tenemos acceso a la abundancia y que la merecemos. Si no nos creemos merecedores de ella y sentimos que no es para nosotros, jamás podremos tener la abundancia en positivo que nos brinda la naturaleza o el mismo Universo.

Es importante sentirnos merecedores de esa abundancia, pero sobre todo, saber pedir al Universo, que no te dará nada que no estés preparado para recibir. Tienes que abrirte a la posibilidad, cambiar esas creencias que te limitan. Porque al final de cuentas eso es la carencia, el resultado del miedo a no tener y que constantemente se está validando, la mejor solución del miedo a algo es que ese algo aparezca.

Si concordamos en que el Universo es abundante en su totalidad, te pregunto: *¿Por qué escuchamos repetidas veces en los medios de comunicación que hay pobreza? ¿Será que no hay alimento suficiente para dar abasto a la población?*

La Organización de las Naciones Unidas para la Alimentación y la Agricultura dio a conocer en 2018 el resultado de un estudio donde se demostraba que 821 millones de personas se iban a la cama con el estómago vacío, sin embargo, la misma organización en su página web (un.org) da a conocer que Ban Ki-moon, Secretario General de las Naciones Unidas del 2007 al 2016 lanzó el Reto del Hambre Cero durante la Cumbre Mundial sobre el Desarrollo Sostenible en 2012.

El Reto del Hambre Cero se puso en marcha para inspirar un movimiento global que logrará un mundo sin hambre en una generación. Esta iniciativa busca:

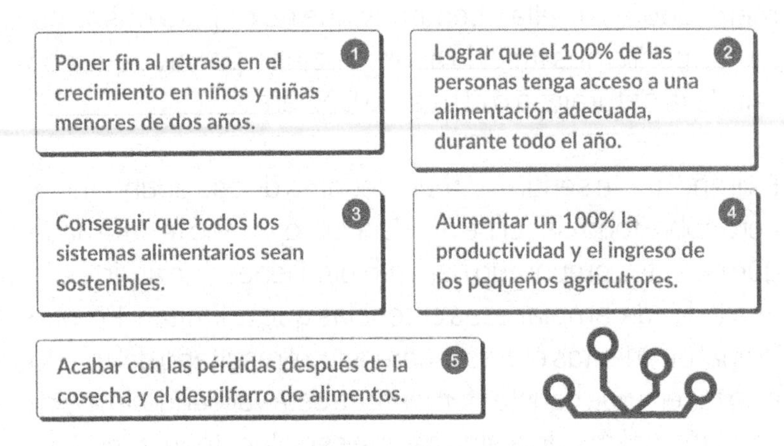

Si analizamos esta información, veremos que el problema está en la generación y la distribución del alimento, por lo tanto, el acceso al mismo, sobre todo, el desperdicio o despilfarro de los mismos.

Soy de los que piensa que en este planeta no debería de existir el hambre, somos nosotros los que la creamos, con la falta de acuerdos y de planeación para la producción, la distribución y sobre todo el desperdicio.

El crecimiento de la pobreza aumenta, pero también el sobrepeso y la obesidad en todas las regiones del mundo, tal y como refleja un importante informe de la Organización de las Naciones Unidas para la Alimentación y la Agricultura en 2019.

¿Por qué entonces hay gente que no tiene nada? Responderé a esta pregunta con un claro ejemplo, el de todas esas personas que vemos pidiendo dinero en la esquina del semáforo. ¿Por qué están ahí? Porque están validando una creencia, la creencia de que otra persona debe ayudarlos dándoles dinero para que puedan comer. Sé que esto podría hacer un ruido tremendo en tu cerebro, quizás te estarás haciendo esta pregunta, ¿cómo es posible que nosotros mismos generemos vivir en la pobreza? Pero si lo analizas te darás cuenta de que tengo razón.

Muchas veces la falta de educación, a la que no siempre se tiene acceso, puede llevar a estos resultados, es triste pero real. Quizás no nos falta alimento, pero sí mucha educación, misma que nos lleva a desperdiciar miles de toneladas de alimento en el mundo.

Tenemos que comprender que el Universo nos ofrece miles de posibilidades, pero algunas personas no alcanzan a verlo, si no las ven es como si no existieran, así que siempre van a creer que la única opción es que alguien las ayude, esa es la única posibilidad que existirá para ellos y por eso van a estar ahí, esperando a que cualquier persona les dé dinero, en resumen, están validando lo que creen.

No digo esto como un juicio, ya que respeto mucho a cada persona e incluso soy de los que siempre doy la mano a quien me lo pide en la calle, pero eso no impide que vea y analice lo que te comento aquí.

Cuando cambiemos nuestras creencias y nos demos cuenta de que el Universo es abundante en todo lo que creemos, realmente comenzaremos a ser abundantes solo en lo que elijamos, positivo o negativo. Únicamente es cuestión de abrirnos a la posibilidad y ser conscientes de que merecemos todo lo positivo que la naturaleza nos brinda.

> **SI TU META ES LOGRAR UNA MENTEPRO, DEBES SIEMPRE COMPARTIR, PORQUE DAR ES TAMBIÉN RECIBIR; CUANDO SE DA SIN APEGO, SE RECIBE LA SATISFACCIÓN DE COMPARTIR.**

Aclaro que con lo anterior no estoy proponiendo que no ayudemos a las personas que aparecen en nuestras vidas pidiendo ayuda, si no lo hiciera estaría cayendo en un juicio, además sé que ellas, según como yo los vea, serán parte de mi PROyección y mis creencias.

Como les dije, yo soy de las personas que dan cotidianamente, todos los días intento repartir parte de lo que recibo de este Universo al que pertenezco, ya que para mí el dar es también parte de ser abundante.

> **UNA PERSONA A LA QUE NO LE FALTA NADA NO REFLEJA UNA CONDICIÓN SINO UN ESTADO DE CONSCIENCIA, Y SOLO ESTÁ PROYECTANDO SU INTERIOR.**

1ER PASO

PARA CONVERTIRTE EN UNA MENTEPRO

Nunca olvides que la naturaleza es abundante en todo.

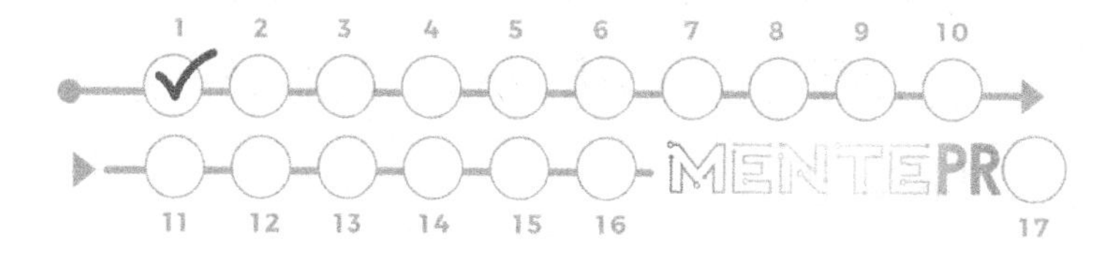

DESCANSE EN PAZ LA SUERTE

Qué fácil es dejarlo todo a la suerte ¿verdad? Depender de ella es tan fácil como respirar, pero ¿qué pensarías si te dijera que la suerte no existe?

Podemos definir a la suerte como el resultado positivo o negativo de un suceso poco probable, es decir, una percepción de que algo puede suceder o no. Y todo puede suceder siempre y cuando seas capaz de imaginarlo.

En la palabra suerte hay demasiadas creencias y cada una de ellas es errónea, por eso es importante empezar a creer que la suerte no existe, porque en la medida en que nosotros creamos en ella, más nos estaremos alejando de la realidad.

La suerte es, para mí, la manera más simple y por lo mismo, la más utilizada para victimizarnos (culpar a alguien o algo de nuestro estado o condición). Tenemos que dejar de creer en la suerte para darnos cuenta de que nosotros somos el motor del cambio que necesitamos.

LA SUERTE ES EL PRETEXTO MÁS UTILIZADO PARA JUSTIFICAR NUESTRA INCAPACIDAD DE DARNOS CUENTA DE QUE SOMOS SERES CREADORES.

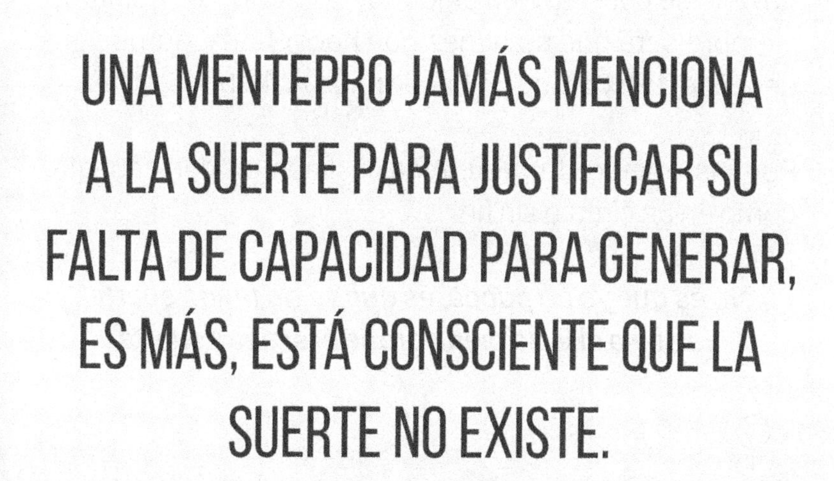

UNA MENTEPRO JAMÁS MENCIONA A LA SUERTE PARA JUSTIFICAR SU FALTA DE CAPACIDAD PARA GENERAR, ES MÁS, ESTÁ CONSCIENTE QUE LA SUERTE NO EXISTE.

Recuerda que cuando te encuentras en el modo víctima vas a tener la creencia de que todo lo que te suceda es por una causa externa, en la medida que dependas de la suerte te va a ser imposible dejar la zona de confort, pues para ti es mucho más sencillo creer que tu abundancia y tu PROsperidad siempre van a depender de algo externo, algo que no está en tu control, convirtiendo la suerte en la mejor excusa, ya que no está en tus manos y te libera de culpas, por ello se convierte en algo muy cómodo y el resultado siempre será que no tienes que hacer nada porque no depende de ti y como no haces nada no habrá cambio.

Podrías vivir toda tu vida en esa posición, sin darte cuenta, como en un círculo sin fin.

"No es que yo no pueda, es que yo no tengo suerte"
"Es que a él le va bien porque él sí tiene suerte"

POR LO TANTO, MIENTRAS MÁS CREAS EN LA SUERTE, MÁS TE ALEJARÁS DE TENER UNA MENTEPRO.

Esto te sonará como trabalenguas, por eso te pido que leas varias veces este párrafo con la mente abierta: antes de que cualquier cosa exista, primero debe de existir la posibilidad de que pueda existir, entonces todo existirá en la medida en la que tú te abras a la posibilidad de que pueda existir.

A eso le llamo estar en ***modo posibilidad,*** porque en este estado, todo existe.

> EN LA MEDIDA QUE TÚ CREAS, PUEDES CREAR, ASÍ MISMO, SI NO CREES QUE PUEDAS TENER UNA MENTEPRO, NUNCA LO LOGRARÁS.

La palabra suerte te victimiza, veamos este breve ejemplo en modo víctima:
Por una situación del gobierno el país está en crisis.

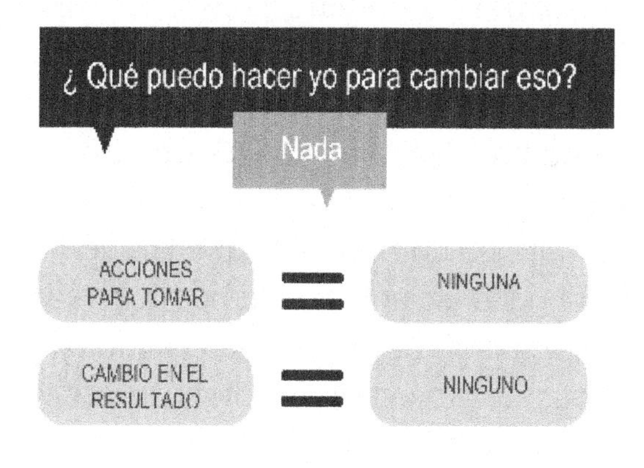

Aquellas personas que siempre culpan al gobierno de su estado económico son un claro ejemplo de vivir en modo víctima, ya que siempre van a decir - y a creer - que, si el gobierno hace las cosas mal, en consecuencia, les irá mal.

Si estamos en el modo víctima, va a ser imposible que existan los cambios, el modo víctima te mantendrá en lo que comúnmente llamamos zona de confort, en donde no hay esfuerzo, un lugar cómodo donde tampoco hay responsabilidad. Revisa si te encuentras en zona de confort y, si lo estás, comienza a responsabilizarte de tu estado para salir inmediatamente del modo víctima.

Frases como ***"yo no tengo la culpa de que me vaya mal", "yo no tengo que hacer nada, es cuestión de suerte", "la suerte es la culpable", "no he tenido buena suerte, por eso no tengo empleo"*** son utilizadas por quienes viven en la zona de confort.

Conforme comprendas lo anterior, podrás asumir que todo depende de ti y te harás responsable de tus resultados y tu realidad. Sé que se escucha fuerte porque no nos gusta sentirnos responsables, pero cuando lo veas así, tendrás el control de tu vida y solo así podrás crear la vida que deseas.
Lo importante es comprender que la suerte y nuestra dependencia inconsciente que hemos generado hacia ella, desaparece cuando dejamos de creer que existe, cuando cambiamos nuestro estado vibratorio a positivo; así pues, la buena y la mala suerte no son más que el resultado inconsciente que refleja nuestro estado vibracional.

Hoy puedes decirle adiós a la suerte y dejarla que descanse en paz.

NUESTROS PROGRAMAS Y EL INCONSCIENTE

Todos los seres humanos tenemos programas positivos y negativos, pero están ahí garantizando nuestra supervivencia, esos programas gobiernan nuestra vida y si no tomamos consciencia de ellos, nos será imposible generar un cambio.

UNA MENTEPRO ES AQUELLA QUE HA LOGRADO SER CONSCIENTE DE SUS PROGRAMAS Y QUE HA COMENZADO A ELIMINAR LOS NEGATIVOS Y POTENCIALIZAR LOS POSITIVOS.

Estos programas se encuentran en el inconsciente, por ello no sabemos que están ahí. Al entender que estos programas nos gobiernan, podemos deducir que el inconsciente es aquel que se encarga de regir nuestra vida.

El inconsciente no es un órgano, no es tangible, nunca ha sido visto, a pesar de ser muy estudiado, hay culturas y civilizaciones que se han dedicado a su estudio para ver cómo funciona; yo estoy convencido de que descifrar el inconsciente es el camino a la libertad y a la salud plena.

Pero, si habría que definirlo, el inconsciente es como una capa profunda de nuestra mente, en donde se almacena la información que no necesitamos cotidianamente, o bien, que es muy dolorosa, así como los códigos que nos rigen o que nos hacen ser de una u otra forma.

Al inconsciente se accede con dificultad.

Durante nuestra vida experimentaremos situaciones que podrán parecer casualidad o que son provocadas por cuestiones ajenas a nosotros, pero la realidad es que todo es una proyección de nuestro estado interior. La clave está en darnos cuenta que nosotros lo generamos todo.

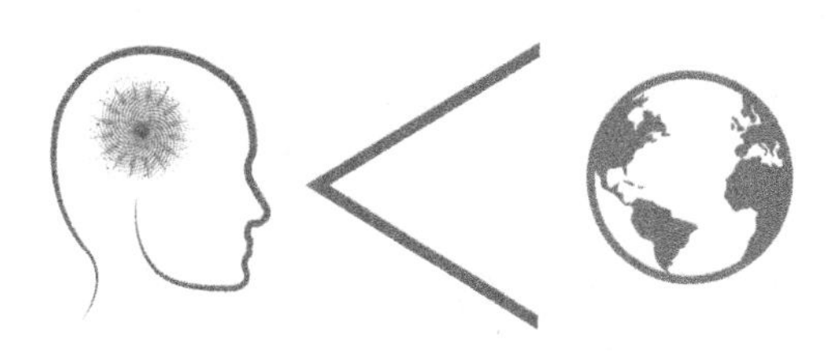

El motor de estos programas son nuestras creencias, no porque no seamos conscientes de que su existencia no están ahí. Lo que es importante comprender es que ningún programa es malo, ya que todos están ahí para garantizar nuestra supervivencia.

NUESTRA VIDA ES LA PROYECCIÓN DE NUESTRO INCONSCIENTE BIOLÓGICO, DARSE CUENTA DE ELLO ES DESPERTAR A LA REALIDAD.

Para comprender cómo sucede, imagina que dentro de nuestro cerebro se instaló un chip y en ese chip hay un programa preinstalado que ayuda a nuestra supervivencia y que está a cargo de nuestro bienestar, que contiene toda la información necesaria para garantizar nuestra PROtección, así que lo único que hace nuestra mente es protegernos con la información que está almacenada en ese chip de supervivencia, y conforme nos demos cuenta que nuestra mente solo cumple con esta función, también nos daremos cuenta de que todo el tiempo está intentando protegernos.

Aquí es donde te tienes que preguntar ¿entonces mi mente inconsciente me está protegiendo al no tener dinero? Puede que no tenga mucho sentido ya que suena increíble, como si fuera magia. Seguramente tienes muchas preguntas y dudas de cómo es posible que el cerebro te esté protegiendo inconscientemente viviendo en la carencia.

La respuesta es muy sencilla. Nosotros creamos programas para no generar dinero, es un hecho. Te doy un ejemplo: supongamos que a tu papá lo mataron por robarle su dinero. En tu chip de supervivencia ya tendrás predeterminado que tener dinero te puede ocasionar la muerte, por eso tu mente se programa y automáticamente te va a llevar a vivir en la carencia, porque de otra manera te pueden asesinar. Ahora comprenderás por qué esto se llama Biodesprogramación, porque todos son programas biológicos de supervivencia. Déjame decirte que el sentido biológico del miedo es la protección y que cualquier miedo que tengas consciente o inconsciente te está protegiendo de algo.

Podrías comenzar a darle las gracias a ese miedo por protegerte, pero también a darte cuenta que no lo necesitas, cuando tomas consciencia que ese miedo viene del pasado y que es algo que no necesariamente tiene que pasar de nuevo, ese miedo se va, porque tu mente dejará de verlo como una solución.

El miedo a tener dinero desaparece cuando te das cuenta que no solo a la gente con dinero la roban o la matan, entonces no tener dinero no es la mejor solución, probablemente la solución es no demostrar que se tiene dinero, por mencionar un ejemplo.

¿Ya comprendes por qué digo que la carencia solo está en nuestra mente?

Este ejemplo que te puse es referente a la historia de un padre de familia, pero ahora imagina que esa historia es sobre un abuelo o bisabuelo y que a lo mejor no sabes lo que les pasó porque lo guardaron en secreto o quizás no te acuerdas de algo, o bien, nunca lo habías relacionado hasta hoy.

Déjame decirte que toda esa información está en tu mente inconsciente, ya que trasciende a través de los genes. Está comprobado que la información no se destruye, solo se transforma y que la memoria de los ancestros está más presente en tu vida de lo que tú crees o imaginas. Quizás tu vida está condicionada más por la vida de un ancestro que por la de otro, incluso por el simple hecho de llamarte igual que él.

Aunque no lo creas, el llamarte igual que un ancestro, no importa que no lo hayas conocido, condicionará toda tu vida, también el haber nacido el mismo mes que él, pero este tema es tan extenso y tan interesante que lo dejaré para otro libro. Ahora que comprendemos un poco más acerca lo que es el inconsciente y cómo se maneja, te podrá quedar más claro que, si no te va bien en la vida, es porque algo dentro de tu inconsciente no está bien.

Yo he descubierto una forma simple de descifrar qué información existe en el inconsciente biológico, y es observando nuestros resultados. El estado vibratorio más alto que el ser humano puede alcanzar es la felicidad, el amor y el más bajo es el miedo. Así pues, detrás de alguien a quien no le va bien vamos a encontrar que existe miedo, muchas veces inconsciente, añadido a esto, cree que todo es cuestión de suerte, esto es lo que lleva en la mayoría de los casos a no generar un cambio.

También he podido darme cuenta que dejar de pensar es tal vez la manera práctica de cambiar nuestra condición, aunque no conozcamos nuestros programas ni de donde vengan, que ya sabemos que estos programas están ahí por cosas que hemos vivido o bien hemos heredado, ya que no pensando dejaremos de vibrar en el miedo a lo que puede suceder (miedo que está sustentado en algo que pasó), si dejamos de pensar y analizarlo todo, estamos evitando sentir miedo y si lo logramos dejaremos de atraer aquello que no queremos.

UNA MENTEPRO NO ANALIZA PARA CONTROLAR, ACTÚA PARA GENERAR, ASÍ QUE... ¡DEJA DE PENSAR Y SOLO HAZ!

LA MENTE ES UN PODEROSO IMÁN QUE AYUDA A ATRAER LO QUE QUIERES Y LO QUE NO QUIERES TAMBIÉN.

LA MENTEPRO SE CONCENTRA EN LO QUE QUIERE, ACTÚA Y NO SE DETIENE A PENSAR LO QUE NO QUIERE, ASÍ QUE SUS RESULTADOS SERÁN POSITIVOS.

¿Qué quiero decir con esto? El dejar de pensar, significa que debes concentrarte en el aquí y el ahora. No sigas mirando al pasado ni pienses en el futuro. Todos tus pensamientos debes alinearlos a lo que deseas y haces día a día.

Es importante tomar en cuenta que todo en esta vida es cien por ciento solucionable, todo haciéndote cargo se resuelve (lo único que no podemos manejar es la muerte), este concepto hay que trabajarlo a nivel mental. No hay problema en la vida, hasta el día de hoy, del que no hayas salido librado; ten en cuenta esto, te ayudará a eliminar muchos miedos.

PARA LA MENTEPRO LOS PROBLEMAS NO EXISTEN, POR LO TANTO, NO SE RESUELVEN, SE DISUELVEN CUANDO SE DEJAN DE VER COMO PROBLEMAS.

Ten en mente que todo es manejable, a excepción de la muerte, solo necesitas hacerte cargo.

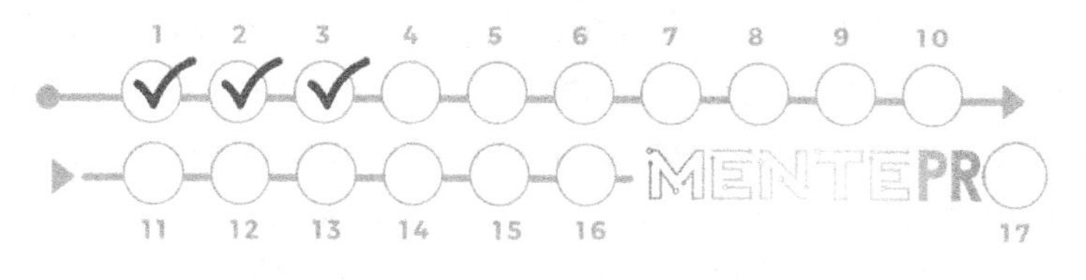

MENSAJES DEL UNIVERSO

¿Qué es un mensaje del Universo? ¿Una señal divina de Dios? ¿Tu madre enviando un WhatsApp?

PARA CONVERTIRTE EN UNA MENTEPRO Y LOGRAR ÉXITO, NECESITARÁS CONECTAR CON EL UNIVERSO A TRAVÉS DE LOS DEMÁS; TENDRÁS QUE LEER LOS MENSAJES QUE ESTE TE ENVÍA.

Para mí, un mensaje universal es lo que está detrás de sucesos que aparentemente no tienen explicación, te preguntas por qué, pero no sabes la respuesta ni que existe información detrás de esos sucesos, que muchas veces se repiten, con frecuencia se convierten en un exceso, estos eventos aparecen como por arte de magia, tal cual un programa en una computadora.

Generalmente los mensajes universales que no han sido comprendidos están detrás de lo que se repite con frecuencia, claro que los mensajes que hay, que vale la pena buscar, son los que generan una molestia y con el paso del tiempo enfermedades o incluso accidentes, por eso es importante comprenderlos lo antes posible. Esto solo será factible si estamos conscientes de que los mensajes detrás de estos eventos, existen.

Para ello, necesitamos sabernos responsables de todo lo que nos sucede, porque solo en nosotros está el cambio. Cambiando nuestro estado de consciencia modificaremos nuestra realidad, ya que si nos encontramos en modo víctima no importará si tenemos el mensaje pegado a la frente, jamás lo comprenderemos.

Imaginemos que estos mensajes llegan en un sobre, muchas personas abrimos los sobres en situaciones críticas, como cuando nos encontramos en un accidente, en un hospital con una enfermedad, cuando alguien muere o en cualquier situación dolorosa. Mi meta principal en la vida es hacerle ver a las personas estos mensajes, sin necesidad de llegar a esos eventos críticos, de manera amorosa, es decir, evitando esos sufrimientos.

¿Cómo saber si el Universo me ha enviado un sobre con un mensaje y no lo he abierto?

Es muy fácil, si un evento en tu vida ya se repitió más de tres veces, no tengas duda de que el mensaje ya fue enviado por el universo, pero no recibido por ti, o bien, recibiste el sobre pero no lo has abierto, es momento de que veas lo que el Universo te trata de decir.

Desafortunadamente, los seres humanos nos dedicamos a aprender aquello que sabemos que no sabemos; utilizamos lo que sabemos que sabemos, pero nunca le dedicamos tiempo a lo que no sabemos que no sabemos, ahí está todo nuestro aprendizaje. Es como si lo que no sabemos que no sabemos, no existiera. Todo ese aprendizaje lo encontraremos en el inconsciente, que es de difícil acceso, para entrar en él, muchas veces necesitamos acompañamiento de un terapeuta o quizás leer un libro como este.

Te sugiero, cuando veas eventos repetidos en tu vida, tomando en cuenta que el resultado es el reflejo de tu inconsciente y sin dudar que tú generaste ese resultado, hacerte ahora las siguientes preguntas:

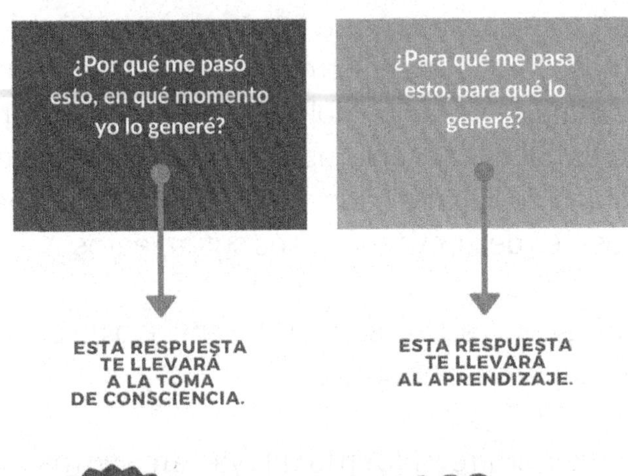

4TO PASO

PARA CONVERTIRTE EN UNA MENTEPRO

Abre todos los mensajes que recibas, todas las personas y tu relación con ellas traen un mensaje para ti.

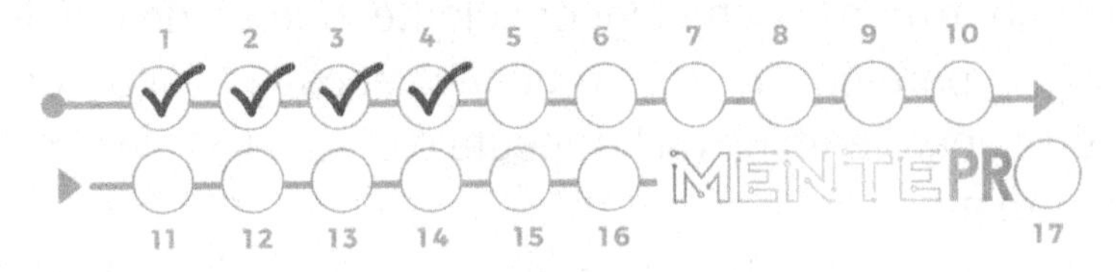

TOMANDO CONSCIENCIA... AUNQUE DUELA

La toma de consciencia del porqué las situaciones nos suceden, muchas veces nos duele, pero es indispensable para cambiar nuestro modelo mental, con ello nuestra condición de vida. Tomar consciencia es el resultado de darse cuenta; en nuestra sociedad actualmente a una persona que hace esto frecuentemente se le considera inteligente. De hecho, no existe otra forma de elevar nuestro nivel de consciencia más que el darnos cuenta, ya que en el proceso descubrimos nuevas formas, a su vez ampliamos nuestro conocimiento y nos hacemos conscientes del porqué de las situaciones que nos suceden. Las personas consideradas inteligentes son las que buscan y encuentran, son constantes, no se dan por vencidas y lo más importante, creen siempre que se puede, aprenden de cada error y solo están en espera de encontrar la forma.

PARA UNA MENTEPRO TOMAR CONSCIENCIA ES INDISPENSABLE PARA PODER GENERAR UN CAMBIO, ES PERMITIRNOS ABRIR UNA PUERTA, PERO EN NUESTRO INTERIOR, QUE NOS HAGA VER UNA POSIBILIDAD Y SE GENERE ESE CAMBIO.

En resumen, hay cuatro pasos que tienes que dar para acercarte a la abundancia positiva:

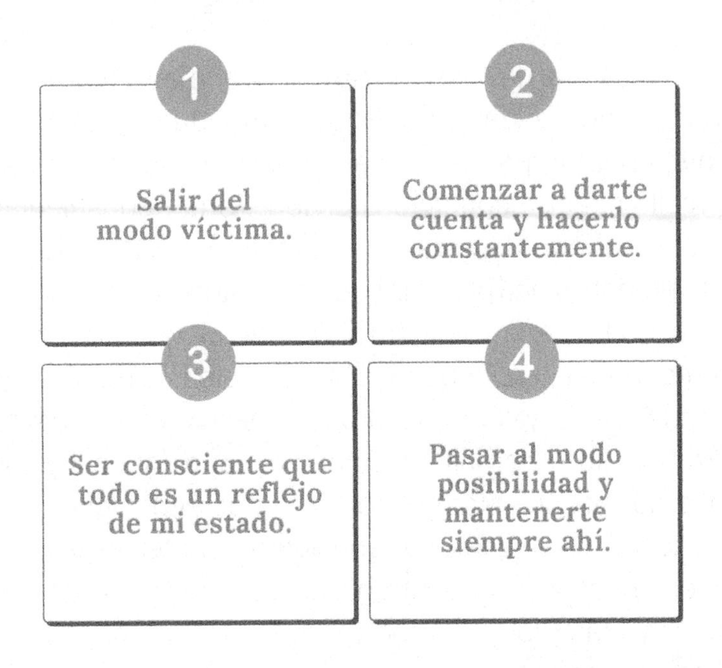

Cuando ya eres consciente de que todo es una **PROyección** de tu estado, dejarás de quejarte por lo que te sucede y buscarás dentro de ti, donde resuena esa información y cuál es el cambio de consciencia que tienes que hacer; eso es aprendizaje y crecimiento constante.

Claudia, una amiga mía, un día me dijo, ***"¿cómo puedes soportar saberte responsable de todo lo que te sucede?"***, le contesté, ***"cuando me doy cuenta que soy responsable, no niego que me duele al saber que yo lo generé, pero me libera porque veo que existe la posibilidad de volverlo a intentar de otra manera y generar resultados distintos".***

Y digo me libera, porque cuando crees que la culpa es de otro, te encadena al sufrimiento y a la frustración por la sensación de la falta de control. Bien dice la Biblia ***"la verdad nos hará libres".***

Sé que al principio el tomar consciencia no es fácil, vivir tomando consciencia, menos.

Es un trabajo que al principio cuesta, entre más necio, egocentrista y aferrado a tus ideas, más trabajo te costará, pero ya que lo logras será paulatino y no tiene fin. Yo inicié con este PROceso a los 28 años, pero es una historia que te contaré en otro libro.

El primer paso para iniciar la toma de consciencia es:
Si el resultado no está bien, es que yo no lo estoy haciendo bien.

Para poder darnos cuenta de las cosas, tenemos que comprender que conforme estemos abiertos a la posibilidad, se irá generando un cambio interno que poco a poco se ve reflejado en lo externo, pero hay que tener paciencia y saber que es un trabajo individual. Es por esto que cuando hablamos de cambiar el mundo siempre decimos que para lograrlo debes cambiar tú, el cambio inicial es interno, nunca externo.

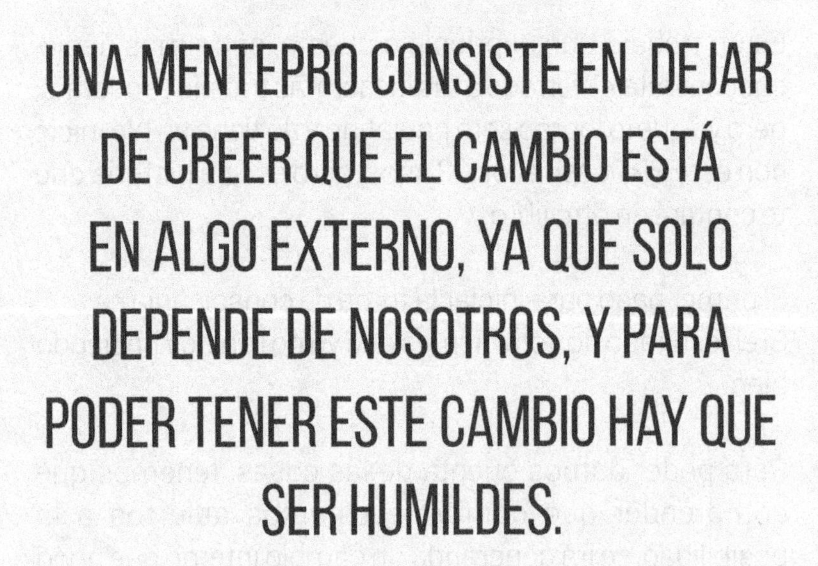

UNA MENTEPRO CONSISTE EN DEJAR DE CREER QUE EL CAMBIO ESTÁ EN ALGO EXTERNO, YA QUE SOLO DEPENDE DE NOSOTROS, Y PARA PODER TENER ESTE CAMBIO HAY QUE SER HUMILDES.

Se necesita mucha humildad para poder aprender. ¿Te acuerdas de la frase ***"yo solo sé que no sé nada"***? Pues nunca la olvides porque solo en ese estado todo es aprendizaje. Al final de cada uno de mis cursos siempre les comento a mis alumnos que alguna vez estuve como ellos, sentado en una silla aprendiendo, que incluso ahora que algunos me llaman "maestro", es cuando más lo hago. ¿Por qué? Al instruirles, a la vez aprendo de cada uno, cuando esto sucede, sigo generando cambios, lo que me mantiene como un alumno constante. Yo trato de no sentirme un maestro porque deseo seguir aprendiendo, creer que no sé nada y así aprender de todo.

Quiero dejarte claro que puedes generar un cambio de un momento a otro una vez que tomas consciencia, pero este cambio es paulatino, puede durar meses o años, pero por favor no pienses en el tiempo. Todo cambio se inicia con un desapego. Te comparto que yo siempre que tomo consciencia me digo internamente, 'no sé qué pasará, pero sí sé que algo no será igual y será para bien'. No crean que voy anotando todo para ver si hay cambios, no hay necesidad de eso, los cambios comienzan a llegar y ni cuenta te das cuando ya estás en otra sintonía. Ten cuidado porque todos queremos que el cambio se dé rápido y normalmente no esperamos el tiempo necesario para que el cambio interno se materialice, eso puede llevarte a tu estado anterior y seguro volverás a caer en el modo víctima que ya habías superado; para generar cambios se requiere paciencia y perseverancia. Cuando el ser humano está en el modo consciente o, como yo lo llamo, bioconsciente (estar consciente del inconsciente biológico), sabrá que el cambio lleva tiempo y que nunca va a dejar de aprender porque siempre se van a ir abriendo puertas con más información, entonces el crecimiento nunca termina. Al principio costará trabajo darte cuenta de todo, o comprobar todo lo que aquí te explico, pero con el paso del tiempo serás capaz de abrir puertas mucho más grandes y llenas de información, porque ya conoces el método, así que solo te dedicarás, sin esfuerzo, a ver los mensajes. Aclarar nuestra consciencia es indispensable para que se pueda generar un cambio y no estar luchando constantemente. Desgraciadamente, la toma de consciencia a veces tarda en llegar, incluso, puede darse el caso de que nunca llegue.

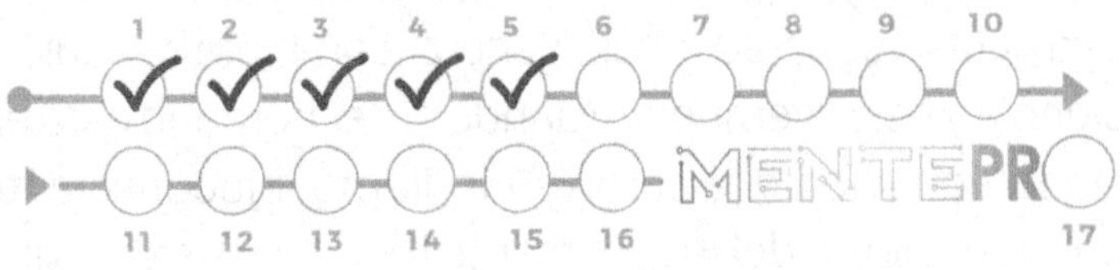

EL MIEDO COMO PROTECCIÓN DEL CAMBIO

Estoy convencido de que la mejor manera de solucionar el miedo es aceptando que a eso a lo que le tememos puede aparecer, en vez de resistirnos a él tenemos que integrarlo.
También podríamos buscar de dónde viene ese miedo, porque muchas veces es solamente una ilusión.

Nuestra mente siempre va a velar por nuestra seguridad, entonces si por algún motivo nos encontramos bajo demasiado estrés, la mente, de manera inconsciente nos va a llevar a que vivamos lo que nos ocasiona estrés, en un intento desesperado de eliminarlo.

En resumen, el miedo a algo hará que aparezca ese algo para que dejemos de tenerle miedo y así bajar el estrés.

¿Por qué sucede esto? Nuestra mente detecta que estás estresado porque algo puede pasar, pero no pasa, mientras tanto ese miedo está alterando tus niveles de estrés, es como si la mente y su sentido de supervivencia vieran como una solución hacer que suceda para que dejes de estar estresado.

Esta es la razón de por qué atraemos lo que queremos y al mismo tiempo lo que no, es decir, si para la mente lo estamos viviendo como una obsesión, no va a importar otra cosa que no sea exponernos a ese miedo, con la finalidad de que deje de generarnos estrés.

El miedo, para bien o para mal, es una forma de protegernos del cambio; hay muchos mecanismos que nos protegen del cambio, pero el principal es este.

¿Cómo es posible que el miedo nos proteja?

El miedo tiene un sentido biológico bastante complejo, básicamente le debemos la vida, ya que gracias a él el ser humano ha podido sobrevivir, incluso evolucionar. Si no fuera por el miedo, por esa reacción que tenemos, ya habríamos saltado frente a un tren sin ningún reparo. Así pues, tiene un sentido biológico de protección.

El problema viene cuando aplicamos el miedo en todo aquello que nos puede causar dolor, incluso en lo que imaginamos que puede pasar, eso a lo que yo le llamo ilusiones.

Cada persona va a vivir el miedo de una manera diferente, pero al final de cuentas este solo va a protegerla del dolor, porque esa es su función: paralizar, con tal de que no se repita eso que alguna vez causó dolor.

Recordemos que llamamos zona de confort a ese lugar en donde no hay dolor, en donde nos sentimos cómodos y, por ende, en donde no habrá un cambio. Por esta razón es que el miedo nos protege del cambio y no nos permite avanzar, porque hay que entender que generar ese cambio (darse cuenta) a veces va a causar dolor.

Aunque voy a hablar sobre las parejas en el capítulo siguiente, te pongo este ejemplo: hay personas que no tienen pareja por temor a que las abandonen y las dejen solas y no se dan cuenta que, al no tener pareja por miedo, ya están solas.

Entonces te pregunto: ***¿Qué prefieres?***

¿Que quizás te asalten siendo rico o siendo pobre?
¿Que nunca te abandonen? ¿O que quizás te abandonen?, después de muchos años de disfrutar con una relación de pareja?

El miedo nos va a proteger, pero una vez que empecemos a tomar consciencia, tenemos que romper con aquellos miedos que nos paralizan y nos impiden vivir la vida que deseamos.

UNA MENTEPRO ENTIENDE QUE TODOS NUESTROS MIEDOS TIENEN UN ORIGEN, Y ES IMPORTANTE COMENZAR A BUSCARLOS PARA COMPRENDERLOS Y TRASCENDERLOS. EL MIEDO NOS PROTEGE, PERO TAMBIÉN NOS PUEDE PARALIZAR, INCLUSO PUEDE LLEVAR A MORIR A UNA PERSONA.

El Dr. Ryke Hamer, del cual soy un fiel seguidor y estudioso, demuestra que el miedo a morir mata.

LAS RELACIONES INTERPERSONALES SON LA **PROYECCIÓN** DE MIS PADRES

Las relaciones interpersonales también son parte de nuestra **PROsperidad** y por ello las abordaré de manera breve.

La pareja es el reflejo de la capacidad de relacionarnos, una persona que anhela tener pareja, pero no lo consigue, no va a ser feliz y ya sabemos que sin felicidad no hay **PROsperidad**.

¿Por qué digo que las relaciones son parte de nuestra **PROsperidad**? Es porque tienen que ver con nuestra historia, es necesario comprender que nuestras relaciones interpersonales son un reflejo de la que tenemos o tuvimos con nuestros padres.

Te haré una sencilla pregunta: ***¿Qué es lo que más te gusta de tu pareja?***

Muy probablemente lo que más te gusta es de lo que más carecía uno de tus padres, es decir, lo que más te gusta de tu pareja es aquello que tus padres no te brindaron, y también lo que menos te gusta de ella tendrá relación con uno de tus padres, pero esto no es regla, porque puede ser que te gusta lo que más te hizo falta o lo que te dieron en exceso.

En ocasiones llegamos a ver que encontramos totalmente lo bueno de nuestros padres en una relación.

Los padres son nuestro ejemplo y educación en cuanto a las relaciones con otras personas, así que la relación con tu pareja refleja la relación entre tus padres y tu relación con ellos o quienes fungieron como padres, incluso si no estuvieron (esto se podría reflejar en que tus parejas no están contigo, es decir, que estén ausentes o bien que te abandonen). Lo que conocemos o llamamos "amor" es solo la resonancia de la información que encuentras con tu pareja y la relación de esa información con la de tus padres.

Por otro lado, cuando la información de tu pareja es igual a la tuya, van a chocar, habrá discusiones, peleas, en cambio, cuando la información es complementaria, nos sentiremos súper felices y diremos que estamos enamorados.

Con esto no digo que el amor no exista, simplemente es una forma realista de ver lo que sucede cuando nos sentimos enamorados. Claro que nos gusta el cortejo, que nos traten bien, que sean cariñosos con nosotros, que nos hablen bonito, pero también va a complementar el sentirnos enamorados cuando encontramos solucionado en nuestras parejas lo que no pudimos solucionar con nuestros padres.

Nuestras parejas van a ser, simbólicamente, uno de nuestros padres o un poco de los dos, aunque lo más probable será que elijas como pareja aquella persona que se parezca a aquel con el que más pendientes quedaron de solucionar. Es decir, voy a buscar que mi pareja me dé lo que ese padre o madre no me dio. A la vez, tú llevas más información de uno de tus padres y cuando tu pareja represente a ese mismo podría manifestarse una relación tóxica, pero también se abre la posibilidad de reparar simbólicamente todo aquello pendiente.

¿Cómo saber si llevo más información de papá o de mamá? Fácil: con quien más discutías es probable que sea ese, recordemos que polos iguales se repelen. Entonces, si chocas o chocabas más con tu padre es quien más se parece a ti, si tienes una relación tóxica lo más probable es que estés ante tu misma información y también la misma de tu padre. Si tu padre fue o es autoritario y tú también, entonces chocaron, con tu pareja pasará lo mismo si ella representa autoridad para ti.

SI BUSCAS UN COMPLEMENTO ESTÁS YA REPARANDO TU PROPIO PROGRAMA, SI BUSCAS UNA PAREJA IGUAL, ESTÁS REPITIENDO LA HISTORIA FAMILIAR.

Si ya detectaste a quién estás buscando en tus relaciones, por ejemplo, a papá, sé consciente del rol en el cual estás tú. Las relaciones que perduran son las que yo llamo complementarias, en las que no importa el género, sino el rol.

La mente crea un prototipo que refleja de manera inconsciente a nuestros padres, por eso cuando vemos a una persona que nos parece atractiva, aunque a otras personas no les parezca, esto depende del prototipo que traemos establecido y de cómo resuena esa información que ya traemos de nuestros padres.

Te doy un ejemplo: cuando una persona tiene la tendencia de enamorarse de parejas que resultan infieles, seguro al conocer a esas personas no tenía ni idea de que lo eran y posiblemente no va a encontrar una razón lógica de haberse enamorado de personas infieles, entonces, ¿cómo es que la mente, sin conocer a aquellas personas, se sintió atraída y resultaron ser infieles?

Esto se da a través del lenguaje no verbal, es decir, el inconsciente descifra, a través de este lenguaje, que estamos frente a nuestro padre o nuestra madre, ya sea por la manera de caminar, hasta la mirada que posee, la forma de hablar, el tono de voz, etcétera.

Realmente te vas a sentir atraído por quien resuene con tu información, ya sea de manera igual o complementaria y lo percibes de forma sensorial. Ahora bien, ¿qué es lo que capta tu mente que te gusta? Va a captar todo aquello que inconscientemente te refleje a tus padres, como ya lo dije, lo que está pendiente de reparar, lo que dolió o lo que se interpreta como mal vivido, con un sentido de volverlo a vivir para comprenderlo, porque no nos ha quedado claro el por qué sucede así. El problema es que como todo esto es inconsciente, ni lo repararemos ni lo comprenderemos, pues caeremos una y otra vez en el juicio, aquí es donde comenzamos a preguntarnos, ¿por qué todos los hombres son iguales?, ¿por qué todas las mujeres son iguales? solo juzgaremos creyendo que todos son así, cuando la pregunta debería de ser, ¿por qué me siento atraído por el mismo tipo de personas, no será que algo estoy haciendo mal?

El tema puede ser cualquiera: infidelidades, violencias, abandonos, etcétera, pero lo que no comprendemos es que para ello tenemos que ser conscientes que la única forma de reparar es perdonar, esto solo se logra llegando a la comprensión amorosa. Cuando se logra llegar ahí, paradójicamente se sabe que no hay nada que perdonar. Hay que entender que el mensaje detrás de una repetición de vivencias desagradables es el reflejo de un perdón que hemos dejado en pausa y que llegó el momento de trascender.

Pero te tengo noticias: no vas a poder reparar lo mal vivido con una pareja porque tu pareja es el efecto de la causa, no la causa. La reparación no es con ella, ella es el resultado de esa falta de comprensión y del perdón. Tienes que hacerlo con la primera persona que te hizo experimentar esa vivencia y que te desencadena esa emoción que hoy estás repitiendo en tu vida, posiblemente es el padre, la madre o quien tuvo ese rol. Lamentablemente, la solución a ese conflicto que llamamos mal vivido (los problemas), es asimilar que no es un conflicto y que no estuvo mal vivido. Seguro te preguntarás ¿cómo que no estuvo mal vivido?

Te lo explico a detalle en este ejemplo:

Mi padre golpeaba a mi madre, mi madre no hacía nada, porque ella también vio en casa lo mismo y creía que así era la vida.

Esa vivencia no se hubiera repetido si mi madre o la madre de mi madre hubieran puesto un alto a esa violencia, quizá todo sería distinto si no la hubieran permitido.

Hay que preguntarnos ***¿por qué mi mamá y mi abuela soportaron esto?***

Para no caer en el juicio, quizá tendríamos que pensar que hay un motivo, por ejemplo: la abuela lo soportaba porque dependía económicamente del abuelo, no se sentía capaz de encontrar un trabajo para mantenerse ella y a sus hijos, mi madre quizás aguantó a mi padre porque pensaba simplemente que así era la vida y así eran los hombres, dado que su padre era igual.

Si esto se repite en tu vida el mensaje que te deja sería quizá, darte cuenta de que una mujer es capaz de mantenerse económicamente sola y a los hijos también, que se podría buscar un trabajo; otro mensaje sería que hay que poner límites cuando sea necesario y decir basta si eso que estoy viviendo no me gusta.

Hay que comprender que como nuestros padres fueron con nosotros está directamente relacionado con la forma en cómo sus padres fueron con ellos, lo que se convierte en una cadena, muchas veces de sufrimiento, de repeticiones inconscientes y la única forma de liberarnos de esa cadena es con el perdón, a través de la comprensión amorosa.

Sin duda se podría cambiar una y otra vez de pareja, pero se seguirá presentando el mismo conflicto, porque la solución no es cambiar de persona sino cambiar la percepción de por qué sucedió, cuando se comprenda y perdone, la realidad de nuestras parejas cambiará. Recuerda que este trabajo de sanación se hace con nuestros padres.

En resumen, cuando nuestra mente logra interpretar que ya no hay nada mal vivido, en automático va a dejar de buscar personas con esa información.

También existen personas que quieren tener pareja y no la tienen, incluso dicen ***"me esfuerzo demasiado y no consigo pareja".*** Si no consigues pareja es porque tu mente te está protegiendo al no tenerla; para descifrar lo que está en el inconsciente hay que observar el resultado, si tu resultado es diferente a eso que según tú quieres, entonces la realidad es que inconscientemente no lo deseas, o bien, hay dudas en lo que se quiere, si hay dudas no lo vas a lograr, o lo lograrás con mucha dificultad.

¿Cómo reparar esto? Primero aceptar y reconocer que si no la tienes es porque no la quieres, analizar por qué posiblemente no quieres tenerla, es decir, ¿qué podría pasar que no quieres que pase si tienes pareja? Seguro te darás cuenta que no estás cien por ciento seguro de querer tener pareja. Ya que tengas claro que una parte de ti no la quiere y analices el posible porqué, te será más fácil comprenderlo todo, tomar una verdadera decisión sin dudas de tener o no alguien que acompañe tu vida, cuando ya no existan dudas y verdaderamente lo desees con total congruencia, la mente actuará en consecuencia.

HACER SIN ESFUERZO

Hablemos un poco del resultado, eso que de alguna manera siempre nos va a generar estrés y miedo.

Constantemente hacemos cosas pensando en cuál será el resultado, nos agobia que pueda ser diferente al que esperamos, lo que nos genera miedo. Como ya hemos visto, al no ser conscientes de ese miedo y estar bajo tanto estrés, lo que vamos a atraer es eso que pensamos y que tanto nos abruma.

Para esto hay una técnica que yo manejo llamada Wu Wei, que significa "hacer sin esfuerzo". Esto no debe confundirse con el hecho de PROponerse no hacer nada, nos referimos a fluir, que es justamente de lo que se trata esta filosofía de vida, de fluir con el Universo, hacer sin esfuerzo. El objetivo de esta técnica es dejar de luchar. Lo único que necesitamos hacer es tomar acción y fluir, pero para que esto pueda funcionar debemos desapegarnos del resultado.

Cuando nos desapegamos del resultado, del famoso "¿Qué pasará?", es cuando se acaban el miedo y el estrés de lo que sucederá, entonces fluiremos con el Universo para que suceda lo que tenga que suceder.

Una vez que nos desapegamos del resultado, lo que se tiene que hacer es caminar hacia él sin miedo, en consecuencia no atraerás cosas negativas. Además, cuando no estás pensando en ese resultado, no pasa nada cuando no logras obtenerlo, no hay decepción y no quedas estancado por la frustración.

Lo que hay que comprender aquí es que lo que es tuyo es tuyo, lo que es es, así mismo lo que va a ser para ti, lo será. ¿Cuántas veces has querido algo con demasiada insistencia y no lo has conseguido? Estoy seguro de que te ha pasado más de una vez.

Cuando comenzamos a darnos cuenta que a veces el resultado no es lo que pensamos o lo que esperamos, a pesar de estar nerviosos y presionados, ¿por qué seguimos insistiendo?, ¿por qué seguimos creyendo que controlamos ese resultado? La respuesta es simple, nosotros los humanos tenemos ese programa de querer controlarlo todo, que nada se salga de control y casi siempre pensamos que eso que queremos es lo mejor.

Espero que no me malinterpretes cuando digo que te desapegues del resultado. No te estoy diciendo que mandes todo a la basura y te quedes sin hacer nada pensando que te va a llegar por arte de magia. Para que algo suceda tienes primero que desearlo, luego, abrirte a la posibilidad de que puede suceder, llevar a cabo acciones concretas para lograrlo.

Para poder desapegarte del resultado tienes que eliminar el miedo, dejar de darle vueltas en la cabeza, a lo que sea que vaya a pasar.

Cuando comiences a desapegarte del resultado te darás cuenta de que el Universo está perfectamente equilibrado, que no necesitas mover cielo, mar y tierra para conseguir lo que anhelas, simplemente va a llegar si es para ti, sin tú dejar de hacer lo que te toca para lograrlo.

UNA PERSONA CON MENTEPRO SE HACE CARGO DE LO QUE LE TOCA PARA LOGRAR AQUELLO QUE QUIERE, PERO DEJA QUE LAS COSAS SE DEN.

7MO PASO

PARA CONVERTIRTE EN UNA MENTEPRO

Desapégate del resultado.

1 2 3 4 5 6 7 8 9 10

MENTEPRO

11 12 13 14 15 16 17

Una pregunta que me hago siempre es: ¿Ya hice lo que me tocaba para lograr eso que quiero?

Si la respuesta es sí, en ese momento suelto el apego e imagino que lo pongo en el Universo, por explicarlo de alguna manera, en ese momento paso del quiero al deseo. Siempre he pensado que las palabras necesito y quiero están llenas de carencia y ego, ya que realmente no necesitamos nada, el quiero es sinónimo del capricho que solo refleja nuestra obsesión de querer tener la razón; cuando cambias esas dos palabras por deseo, lo estás soltando, así comenzarás a hacer sin esfuerzo.

En mi caso, he podido comprender que cuando eso que deseas no llega o llega un resultado adverso, estando tú en congruencia y sin dudas, es porque aún no es el momento, tienes que ser paciente. Cuando llegan resultados contrarios es porque tienes adeudos a los que yo llamo deuda kármica, ¡créeme que existe! Normalmente esta cuenta está en dígitos negativos, nosotros tenemos esa deuda que no es más que una carga emocional del pasado por lo que hemos vivido y también por las vivencias de nuestros ancestros, por lo que si recibes algo contrario a lo que esperabas, es una forma de abonar a tu cuenta kármica.

Cuando se haya liquidado tu cuenta kármica negativa, comenzarás a tener un "saldo positivo", a partir de este momento llegarán los resultados positivos. Te recomiendo que cuando suceda algo contrario a lo que deseas, seas consciente mentalmente que no está sucediendo algo malo, que simplemente lo estás abonando a esa cuenta emocional pendiente.

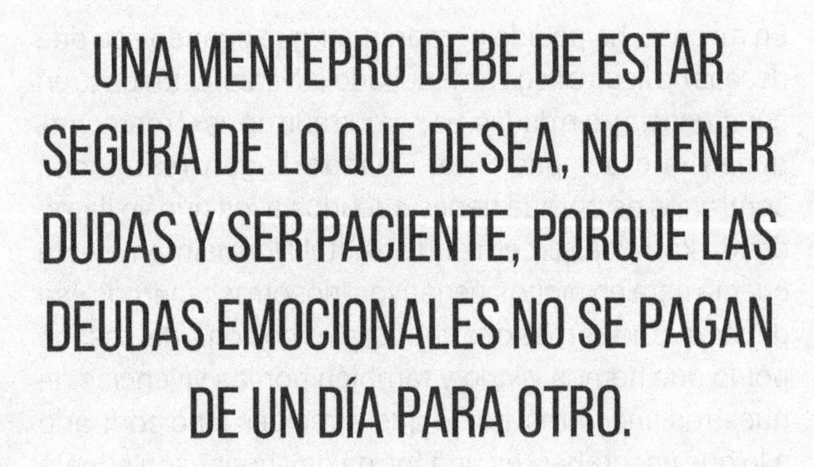

UNA MENTEPRO DEBE DE ESTAR SEGURA DE LO QUE DESEA, NO TENER DUDAS Y SER PACIENTE, PORQUE LAS DEUDAS EMOCIONALES NO SE PAGAN DE UN DÍA PARA OTRO.

La cuenta kármica existe, tienes que ir abonando poco a poco para saldar tus cuentas y la de los ancestros, en teoría, vas a pagar de manera energética al Universo, cuando se salde la cuenta comenzarás a experimentar la vida de manera distinta, pero primero tienes que comprender que lo que sucede es perfecto y cada vivencia es un mensaje que debes comprender desde el modo posibilidad.

Veamos un ejemplo.
Le preste un dinero a un familiar sin que me firmara nada y no me pagó.
Enseñanza: Debes pedir que te firmen un pagaré o que te dejen algo en garantía, aunque sea un familiar.
Cuenta kármica: Eso que no te pagaron puede ser de deudas tuyas que no liquidaste o incluso de tus ancestros y que en esta vida te toca pagar.

Si está en tus manos cobrar ese dinero, cóbralo, pero si ya no está en tus manos deberás abonar emocionalmente a esa cuenta kármica. A lo largo de tu vida irás abonando a tu cuenta kármica y a la de tus ancestros, por esto es que siempre hay que tener paciencia y no desistir, porque realmente no sabemos cuál es nuestro saldo, así que no caigas en la desesperación, se requiere constancia y paciencia, pero te aseguro que un día el resultado será a tu favor.

Estoy seguro que en este momento ya te encuentras meditando y te habrás dado cuenta que como estás viviendo podrías generar un saldo negativo o positivo a tus generaciones venideras.

Es importante ir saldando nuestra cuenta, pero también vivir tu vida sin lastimar a personas y haciéndote responsable de lo que te toca, pues así estarás generando la mejor herencia que puedes dejarle a tus hijos y a tus nietos, tenlo por seguro. La mejor herencia que dejamos a nuestros hijos no está en las cosas materiales, sino en enseñarles con nuestra propia vida cómo deben de vivir la suya, quizá esta parte no te quede claro, pero con el paso del tiempo te darás cuenta que fue lo mejor que pudiste dejarles. La Biblia lo dice claro, los pecados de los padres trascenderán hasta la 4ta o 5ta generación.

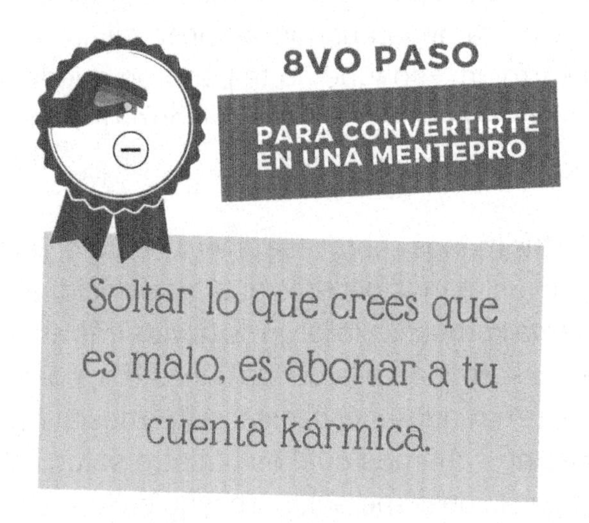

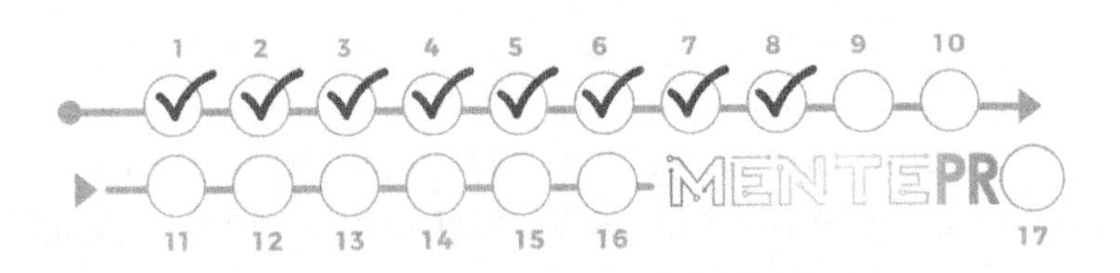

¿PODEMOS CAMBIAR NUESTRA REALIDAD?

HAY QUE ACEPTAR LA REALIDAD PARA GENERAR UNA MENTEPRO, PERO CUANDO HABLAMOS DE REALIDAD SURGE ESTA PREGUNTA: ¿EXISTE ALGUNA MANERA DE CAMBIAR LA REALIDAD?

Primero, hay que comprender que la realidad de cada persona es diferente, lo que cada uno viva va a ser su realidad, no se va a parecer en nada a la de la persona que se encuentra a un lado, podrán resonar en información, pero cada uno vive su propia realidad a su manera.

Es posible cambiar la realidad y eso solo sucede cuando cambiamos nosotros, la realidad solo cambia cuando nos rendimos a ella, de otra manera es imposible.

Rendirse a la realidad es aceptarla y verla tal como es, de otra manera no podrías cambiarla, dimensionar la realidad verdadera es la única forma de cambiarla, a eso me refiero con rendirse ante la realidad, porque muchas veces, verla tal cual es, cuesta trabajo.

Entonces, primero tienes que aceptar la realidad, luego estar consciente de que tú la generas, para comenzar la búsqueda del por qué te pasa lo que te pasa.

Es necesario investigar lo que se está presentando en nuestras vidas de manera repetida, marcando nuestra realidad, conocer las causas para poder modificarla, ya que no podemos cambiar el efecto si no se tiene bien identificada la causa.

Muchas veces existe una causa inconsciente, es por eso que no nos damos cuenta de que está ahí, de que existe.

COCREADORES DE NUESTRA REALIDAD

Es sabido que cocreamos nuestra realidad, para explicarlo he desarrollado la siguiente gráfica de cómo es que sucede.

LA CREACIÓN DE LA REALIDAD DEL SER HUMANO

La diferencia entre una persona exitosa y una que no lo es, es que la persona exitosa interpreta de manera correcta los eventos.

Con esta imagen pretendo mostrarte que una vivencia, tan solo una, puede marcar tu vida por completo y llevarte a formar una creencia que te conduzca a experimentar una situación repetida, incluso a forjar tu carácter.

EVENTO O VIVENCIA

Solo es cuestión de segundos para que un evento o vivencia te cambie la vida en un instante, para bien o para mal, ese instante dependerá mucho de tu nivel de consciencia, que es el que determinará tu percepción y finalmente tu vida.

Normalmente, cuando vivimos un evento este puede ser modificable o no, a veces podemos hacer cosas para cambiarlo, pero no siempre vas a tener el control de estas situaciones. De lo que sí tienes el control es de la forma en que las interpretas.

LA INTERPRETACIÓN DE LA VIVENCIA

Cuando vives un evento, este inmediatamente se convierte en una vivencia o una interpretación (llamado así porque tú eres quien va a interpretar el evento). La vivencia se refiere a lo que sientes, lo que experimentas y lo que vibras cuando sucede. Es importante recalcar que esta vivencia sí es modificable, pero va a depender de ti, si le ves el lado positivo o negativo, porque toda creencia condiciona tu estado y por ende tu vida.

LA MENTEPRO TIENE PRESENTE QUE LO QUE CREE SOBRE ALGO, REPERCUTIRÁ EN SU VIDA POR SIEMPRE.

Son, sobre todo, las primeras experiencias de la vida, las que nos marcan, pero la buena noticia es que tenemos la oportunidad de modificar su interpretación en cualquier momento, no importa cuántos años hayan pasado.

CREENCIAS

Las vivencias quedarán marcadas en la memoria y darán paso a las creencias que se van formando a lo largo de nuestras vidas, estas siempre están reflejando lo que hemos vivido en el pasado.

LOS PENSAMIENTOS

Nuestros pensamientos serán un reflejo de nuestras creencias y es así como cocreamos nuestra realidad, porque los pensamientos que tengamos acerca del evento vivido nos llevarán a generar emociones que no son otra cosa más que energía pura. Entonces, todo lo que pensemos va a estar emitiendo una energía que, sin lugar a dudas, atrae cosas, por eso es que los seres humanos en la búsqueda de la felicidad atraemos lo que queremos, pero también lo que no queremos.

EMOCIONES

Me arriesgo a decir que, lamentablemente, la mayoría de nuestros pensamientos en el día tienden a ser negativos, por ende, vamos a vibrar de esa manera y nuestras emociones también serán negativas. Lo que resulta importante, es que estos pensamientos, la mayor parte del tiempo son inconscientes, porque nuestra mente ya está programada para nuestra supervivencia, lo que intenta de alguna manera es pensar mal para tratar de adivinar y adelantarnos, es decir, prevenirnos de lo malo que pudiera pasar, esto nos llevará a una secuencia de emociones negativas.

Está comprobado que nuestra mente tiene la capacidad de saber lo que va a pasar poco antes de que suceda, así que también, en ocasiones puede controlar lo que sucede o va a suceder, pero no puede controlarlo todo, ya que hay cosas que se escapan de sus límites.

TUS PALABRAS Y ACCIONES

Tus palabras son el reflejo de tus pensamientos juntos, pensamientos y palabras, formaran tus acciones, ya que intentamos siempre hacer lo que decimos, finalmente actuarás en base a lo que tú crees. Cuando empiezas a actuar en base a tus creencias, vas a empezar a rodearte de personas que validen esas creencias, ya que somos adictos a tener la razón, nos enorgullece que la gente nos diga que la tenemos, esto nos hace sentir valorados, biológicamente se sabe que una de las necesidades básicas y universales del ser humano es la valorización.

TUS RELACIONES

Pero tu mente consciente no va a estar ahí como un teniente supervisando con quién te relacionas y con quién no, porque es parte de tus procesos inconscientes, incluido tu lenguaje no verbal, que influye mucho en la atracción de las personas hacia ti.

Tus amistades se van formando, vas a generar un entorno que ni siquiera vas a saber cómo sucedió, pero que a nivel inconsciente tiene el sentido de acreditar grupalmente sus creencias y entre todos darse la razón, formando lo que biológicamente llamamos una tribu.

Básicamente, nos vamos a rodear de amistades que resuenen con nuestra información, que la complementen. A raíz de la formación de esas amistades se va a generar un entorno cómodo y amigable para nosotros, donde esté garantizada nuestra supervivencia.

TU ENTORNO

Finalmente, el entorno en que vivamos se verá reflejado en nuestros resultados, que siempre van a estar basados en una o varias vivencias que dejaron una marca en nosotros.

TUS RESULTADOS = TU VIDA

En resumen, veremos que un evento nos llevará a generar una vivencia (interpretación) de la cual se va a producir una creencia que va a repercutir en nuestros pensamientos, los que emitirán emociones (energía) que van a generar nuestras palabras, acciones, amistades, entorno, resultados y finalmente nuestra vida.

Como podrás darte cuenta, nuestra vida es una película, con la emoción que quieras, el drama que necesites, la tristeza que creas que deba de llevar, así como el suspenso, lo divertida, aburrida, difícil, pero eso sí, el final de esa película siempre nos va a dar la razón de lo que interpretamos que es la vida.

Si observas la gráfica nuevamente, verás que todo va a recaer en la interpretación que tengamos de los eventos, pero también dependerá bastante de que esa interpretación sea la correcta, para ello hay que ser conscientes de nuestras interpretaciones lo antes posible y tratar de que sean positivas, haciéndonos siempre la pregunta ¿para qué me sirve esto que estoy viviendo?, recordando que todas las experiencias tienen un lado positivo, siempre lo hay, así como siempre hay uno negativo.

Cuando por fin tengamos la interpretación correcta, vamos a poder comprender que todo sucede para algo, que todo tiene un mensaje y un aprendizaje, que la forma que interpretamos las vivencias depende de nuestro nivel de consciencia, de lo cual tenemos el control.

Recuerda que la vivencia no la podemos cambiar, pero la interpretación sí, aquí es donde tomamos el control de nuestras vidas y dejamos de ser víctimas.

En resumen, la realidad es algo que creamos nosotros, lo que vivimos no es importante, sino cómo interpretamos lo que vivimos.

Una vivencia interpretada de una forma te puede impulsar, o la misma vivencia interpretada de otra manera te puede deprimir.

LAS PERSONAS CON MENTEPRO QUE ALCANZAN SUS METAS, SON AQUELLAS QUE INTERPRETAN LOS EVENTOS DE TAL MANERA QUE LOS IMPULSAN EN SU VIDA Y, POR ENDE, LOS AYUDAN A ALCANZAR SUS METAS. AL FINAL LA VIDA ES SOLO UNA INTERPRETACIÓN.

Te puedes tardar una vida en comprenderlo si quieres, pero es tan simple como se escucha ¡Todos los eventos, incluyendo los negativos, interpretados de la manera correcta te puede impulsar en la vida!

¿INFLUYE LO QUE INTERPRETAMOS DE LA VIDA EN LA MANERA EN QUE LA VIVIMOS?

Te lo diré de golpe: lo que tú pienses que es la vida, así es como la vivirás. Si crees que la vida es difícil, entonces tu vida lo será, si te instalaste en alguna creencia de que la vida es complicada, que sin dolor no se vive o cualquier otra que te mantenga en un estado vibratorio bajo y no te abres a la posibilidad de que sea diferente, nunca saldrás de ahí y vas a seguir viviendo tu vida igual, esa vida como tú crees que es porque el Universo te dará la razón.

Es bien importante comprender que mientras sigas pensando que la vida es difícil, no podrás generar un cambio. Entonces, quiero **PROponerte** un ejercicio:

Vas a tomar una hoja de papel en la que escribirás tus respuestas a la pregunta ¿qué es la vida para mí?

Una vez que lo hayas escrito, quiero que analices y te des cuenta de que todo lo que escribiste conforma la definición de tu vida, que finalmente será lo que crees de ella, y me gustaría que comprendas que así es como estás viviendo la vida, tu vida, porque nadie va a escribir lo mismo que tú.

Mi objetivo principal con este ejercicio es hacerte ver que la vida te está dando la razón y que, si tú cambias la creencia que tienes acerca de lo que es la vida, comenzarás a generar un cambio que finalmente te llevará a cambiar tu realidad.

Hace algunos años, en un curso-taller presencial tuvimos la oportunidad de compartir varias definiciones, pero hubo una que llamó mi atención, porque quien la compartió comentó: ***"Para mí la vida es una existencia del ser humano con creencias y actitudes, un ser con energía vital"***.

De entrada, parece que no dijo nada, pero fíjate en que lo que dice es muy profundo, dice bastante con pocas palabras. La vida es existir y ¿qué crees? Esta persona solo existe, pero hasta ahí.

Para mí, Fernando Sánchez, la vida es existir para crear mi propia felicidad. ¿Ves la diferencia? Mientras para esta persona la vida solo se trata de existir, para mí se trata de ser feliz, de darle un sentido a estar existiendo, venimos a ser felices, pero si no lo vivenciamos es porque no lo creemos.

El problema es que muchas personas únicamente existen, son como esos seres humanos que trabajan para sobrevivir, y eso es lo que hacen, sobreviven.

El Universo no les va a dar más, tan solo lo necesario para sobrevivir, esto es porque no se abren a la posibilidad de no solo estar a ese nivel.

Cuando realices el ejercicio, también te voy a pedir que analices la energía con la que trabajas: ¿Con la de sobrevivir? ¿Con la de existir? ¿O con la de generar? Y te invito a darte cuenta de que tu resultado tiene que ver con tu intención.

Veamos un ejemplo:

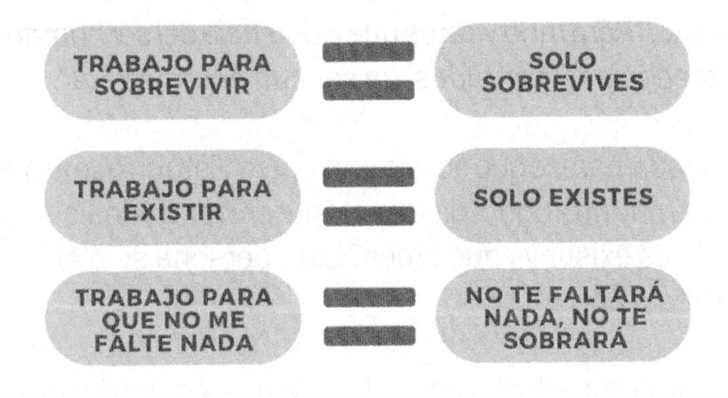

Nuestro cerebro de alguna manera está conectado con el Universo y juntos son como una lámpara de Aladino, lo que le pidas, eso te dará.

LAS CREENCIAS CONDICIONAN NUESTRA VIDA

SON LAS CREENCIAS LO MÁS IMPORTANTE

Sí, ya sabemos que las creencias son las que condicionan la vida del ser humano. La buena noticia es que las podemos cambiar, con ello, modificar nuestra condición de vida. Recuerda que, como siempre estamos validando nuestras creencias, estas se materializan, por lo que nuestra vida es finalmente como creemos que es.

Todas las creencias tienen sus efectos, porque todo lo que creemos va a generar consecuencias tanto buenas como malas, por eso es importante quedarnos con aquellas que son buenas, que no pongan en riesgo nuestra vida o nos hagan vibrar en un estado bajo.

A fin de cuentas, las creencias son programas, por eso es muy importante siempre estar revisando en qué creemos, ya que muchas de ellas nos limitan y constantemente las estamos validando de manera inconsciente.

Recordando un poco la gráfica que vimos en el tema COCREADORES DE NUESTRA REALIDAD, sabemos que todas las creencias surgen a partir de un evento que se caracteriza por no siempre ser modificable... Pero las creencias sí se pueden modificar.

Hay que comprender que, de acuerdo a cómo se experimente la vivencia que se desencadena del evento, serán las creencias que se van a formar, porque así es como funciona nuestro sistema de creencias.

NO ES LO QUE VIVIMOS, SINO CÓMO LO VIVIMOS; NO ES EL EVENTO, SINO CÓMO LO INTERPRETAMOS.

Y si nos vamos al resultado, nos daremos cuenta de que estará respaldado por esas creencias que formamos, ya que de estas se van a generar nuestras emociones, la energía que nosotros transmitimos al exterior.

Aquello que tú creas siempre se va a ver reflejado en tu resultado, vida y realidad.

LAS CREENCIAS MÁS COMUNES EN CONSULTA

Durante mi recorrido como buscador de programas inconscientes de la mente, puedo contarte que las personas que constantemente vienen a consulta con problemas de dinero y de pareja, con la intención de buscar aquellos programas que les evitan vivenciar la abundancia y la **PROsperidad**, siempre vienen condicionadas con distintas creencias, te comparto las más comunes.

- La gente que tiene dinero lo gana de mala manera, prefiero ser pobre.
- No se puede tener todo en la vida.
- La vida es difícil, las cosas jamás se van a ganar de manera fácil.
- El dinero no es importante, lo importante es ser feliz.
- El dinero es para gastarlo.
- Yo no soy bueno para vender, menos para venderme a mí.
- Es mejor ser humilde, mi familia siempre fue humilde y honrada por no tener dinero.
- No siempre se gana la vida haciendo lo que nos gusta.
- La gente que tiene dinero es porque el dinero llama dinero.
- Todos los hombres son infieles.
- No hay mujeres buenas.
- No siempre se puede ser feliz.
- A las personas mayores de 40 años no les dan trabajo.
- Si no terminas la carrera, no puedes ser exitoso.
- Los que van a escuelas públicas tienen menos posibilidades.
- Tienes que trabajar el doble si quieres ganar más.
- Si tengo dinero me van a asaltar.
- La riqueza degenera al ser humano.
- El tener dinero te vuelve arrogante y orgulloso.
- Si no tengo dinero es por que no tengo suerte.

Quiero que analices estas creencias con la intención de que detectes si alguna de ellas resuena contigo, para que empieces a tomar consciencia.

La mente es como el genio que aparece en Aladino, tú le hablas y en automático te va a conceder deseos. Esto significa que si tú tienes alguna de estas creencias siempre vas a estar obteniendo resultados negativos, pues la mente lo único que va a hacer es atraerlo a tu vida.

Entonces te pregunto: ¿La vida es difícil? No, es solo una creencia, porque la vida no es difícil, existen personas que viven de manera fácil y con que exista una persona que demuestre que se puede hacer, quiere decir que la posibilidad existe y ya lo sabes, si existe la posibilidad, puede existir. Si retomamos un poco lo de las reparaciones, nos vamos a dar cuenta que todo aquello que nos gusta y nos apasiona es en donde se encuentra la reparación de la historia de nuestro árbol familiar. Las cosas que reparamos se encuentran en lo que nos hace felices, mientras que las cosas que repetimos se encuentran en todo aquello que nos molesta.

Es muy importante que siempre nos aseguremos de hacer las cosas que nos gustan, porque de otra manera no podremos generar dinero. Nuestra mente muchas veces no comprende que podemos ser felices y tener dinero al mismo tiempo, todo se debe a una creencia que ya traemos arraigada, razón por la cual no logramos generar un cambio. Te invito a que te des cuenta de que, si no estás en un estado vibratorio de felicidad, el dinero jamás va a llegar.

Así que nunca pienses que necesitas el dinero para ser feliz, porque cuando te lleves la sorpresa de que es al revés, que necesitas ser feliz para generar dinero, te vas a dar un buen golpe con la pared. Recuerda que para nuestra mente todo se basa en mantenernos bien, en que estemos protegidos, por eso es bien importante que, para dejar de tener estas creencias, cambiemos nuestra intención. La intención se encuentra en nuestro inconsciente, por eso a veces necesitamos ir a terapia o algún curso que logre abrirnos los ojos. Tenemos que encontrar ese miedo, esa creencia que se inculcó en nuestra vida, para poder cambiar la intención.

Tenemos que encontrar un equilibrio, no ir de un extremo a otro como normalmente lo hacemos. ¿Por qué? Porque en el equilibrio es donde está el verdadero despertar y la **PROsperidad**, por eso tenemos que aprender a hacer lo que nos gusta y a tener lo que deseamos.

> **UNA MENTEPRO DISFRUTA TODO LO QUE HACE Y COMPRENDE QUE SIEMPRE SE PUEDE TENER EQUILIBRIO Y UN ESTADO VIBRATORIO ALTO.**

Lo que yo hago para cambiar mi estado vibratorio es dar gracias todas las mañanas, lo hago como si fuera un inventario de todo pensando en cada cosa que tengo y agradeciendo por ello.

Para mí, el hacer un listado mental de todas las cosas por las que agradeces puede llegar a ser algo terapéutico, porque cuando agradeces, tu energía empieza a cambiar, pues comienzas a darte cuenta de que realmente no te falta nada. Una vez que te encuentras en este punto, dejas de vibrar en carencia y empiezas a vibrar en abundancia.

11VO PASO

PARA CONVERTIRTE EN UNA MENTEPRO

Crea una lista de todas las cosas que quieres agradecer, repásala todos los días.

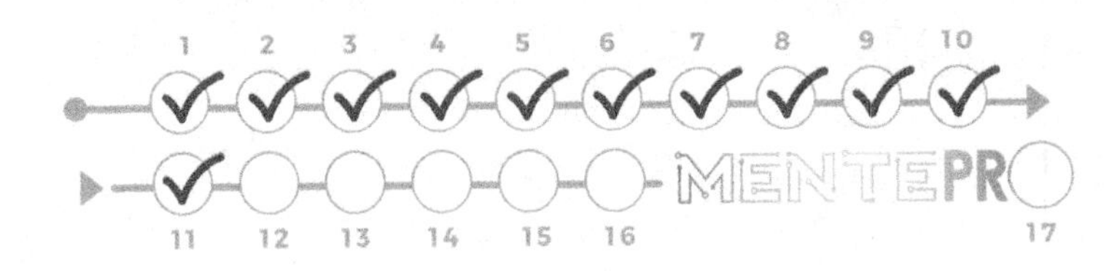

3

CONSEJOS QUE TE LLEVARÁN DE LA INTENCIÓN A LA ACCIÓN

EL DESEO

Desear algo desde el corazón, sin apego, es el comienzo para poder generar un cambio **PROfundo** que te ayudará a activar la abundancia y desencadenar la **PROsperidad**. Los seres humanos estamos acostumbrados a querer o necesitar, estos dos estados reflejan carencia. Te lo explico de la siguiente manera: si tú quieres algo es porque tienes la creencia de que necesitas eso, si crees que lo necesitas, entonces crees que careces de aquello que crees necesitar.

NECESITAR ALGO ES IGUAL A ME FALTA, NO LO TENGO Y DEBERÍA TENERLO, QUE SON SOLO CREENCIAS, YA QUE REALMENTE TÚ NO NECESITAS NADA.

Debemos de cambiar el querer o necesitar, por desear, ¿por qué? El deseo es un pedido desapegado de una aparente necesidad; este simple cambio de pensamiento actúa a tu favor porque cuando vives queriendo o necesitando no eres feliz, y sin felicidad no hay **PROsperidad**. Cuando visualizas que tienes todo y no te falta nada, pasas de sentirte carente a sentirte feliz, de ser una persona que carece de cosas a alguien que agradece lo que tiene, comprende que lo tiene y cómo se siente con ello, pero esto solo depende de ti. Una vez hecho este cambio, tu energía cambia, por ende, tu estado vibracional, haciendo que te sientas feliz por lo que tienes, el paso previo a ser abundante.

ES SUMAMENTE IMPORTANTE QUE TODAS TUS NECESIDADES LAS CONVIERTAS EN DESEOS.

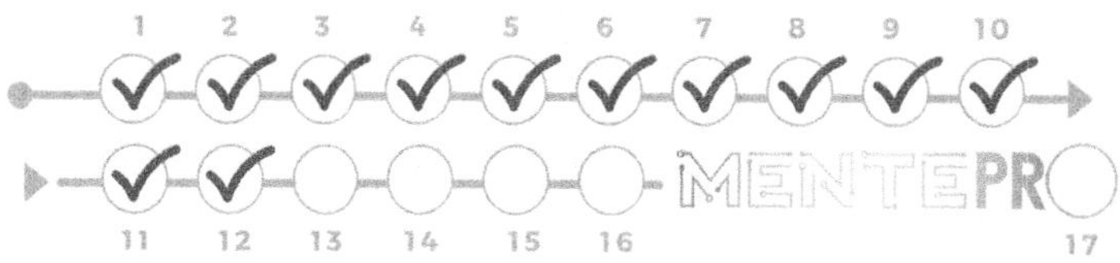

Algo que es de vital importancia comprender es que tu vida es un reflejo, y la ley de la correspondencia lo deja bien claro.

El ejemplo que te doy a continuación puede ayudarte a comprender esto y te ayudará a activar tu abundancia, cuando te des cuenta de que vives igual que como eres.

Una persona que casi no habla, tímida, introvertida y con poca energía, ¿cómo crees que viva la vida? Exacto, su vida será limitada en muchos aspectos que lo alejen de nuevas experiencias enriquecedoras.

Por el contrario, una persona platicadora, extrovertida y que sea muy activa, tendrá una vida abundante, porque ella es abundante con la vida y el Universo, como ya sabemos, te regresa exactamente lo que tú le das.

PARA COMENZAR A VIVIR EN PROSPERIDAD, DATE CUENTA QUE YA ERES ABUNDANTE, YA LO TIENES TODO, CUANDO COMIENZAS A VERLO, COMIENZAS A VIVIRLO.

PASAR DE LA ILUSIÓN A LA COMPRENSIÓN

En nuestra mente todo son programas que garantizan nuestra supervivencia, estos se podrían ver como creencias alojadas en el inconsciente que nos llevan a vivir la vida de cierta manera. La vida, de hecho, es un conjunto de programas.

Los programas aparecen por una vivencia, entre más intensa, más grabado quedará el programa y se mantendrán ahí por una ilusión: la ilusión de creer que tenemos el control y que podremos evitar que se repita lo que ya pasó.

¿Cómo saber que estamos dentro de un programa? Simple: Cuando existe un exceso de algo, cuando algo sale de lo normal de una cultura, por ejemplo: llevar 5 divorcios en una cultura donde los divorcios no son comunes o no están bien vistos. Es importante contemplar la cultura, porque existen algunas que se diferencian de otras en cuanto a comportamientos o actitudes, así como formas de vida, un claro ejemplo seria que existen culturas donde se pueden tener muchas esposas y otras donde solo es permitido tener una, exceso será cuando, en donde se debe de tener muchas, se tenga solo una y donde se debe de tener solo una, se tengan muchas.

También hay un exceso cuando algo se repite más de dos o tres veces en tu vida y no sabes el por qué. ¿Cuándo es necesario **desPROgramarnos**? Cuando eso que se repite nos cause un problema.

Algunos ejemplos de conflictos derivados de programas:

La mayoría de mis clientes no me paga a tiempo.	La mayoría de las parejas con las que inicio una relación me traicionan.
El dinero nunca me rinde.	En los trabajos siempre me despiden por culpa de otra persona.

Por simple que parezca, la Biodesprogramación se logra cuando se hace consciente lo inconsciente, cuando nos damos cuenta de dónde vienen nuestros programas y tomamos acción para solucionar o alejarnos del conflicto.

Conforme vayamos tomando consciencia, tenemos que ir agradeciendo y comprendiendo que ya no necesitamos ese programa.

DARSE CUENTA ES LA PUERTA A LA INTELIGENCIA Y EL AGRADECIMIENTO ES LA PUERTA DE LA ABUNDANCIA.

¿Por qué? Cuando comienzas a agradecer dejas abierta la puerta para que cosas nuevas se den, las personas a tu alrededor se percatan de que eres agradecido, eso siempre es muestra de humildad que abre posibilidades.

Ninguno de nuestros programas o hábitos está ahí porque sí, mucho menos están para que nos sucedan eventos que no queramos – como no tener dinero, hijos o pareja -, estos programas se instalan para garantizar nuestra supervivencia.

Cuando tomemos consciencia de dónde viene nuestro programa, seremos entonces capaces de preguntarnos por qué está ahí ese programa, ya lo comentamos, siempre será por sentido de supervivencia.

Te pongo un ejemplo: Una persona muy agresiva (en exceso) se fue haciendo agresiva porque fueron agresivos con él y en algún momento comprendió que, debía defenderse o las agresiones hacia su persona no pararían.

En resumen y con un lenguaje más biológico o arcaico sería así; o me defiendo o muero.

Entonces, una vez que encontramos el porqué de un programa, cualquiera que sea, debemos agradecerle a la mente, "hablarnos" con claridad y hacernos saber que ya comprendimos la razón por la que está ahí, pero quizá ya no lo necesitamos.

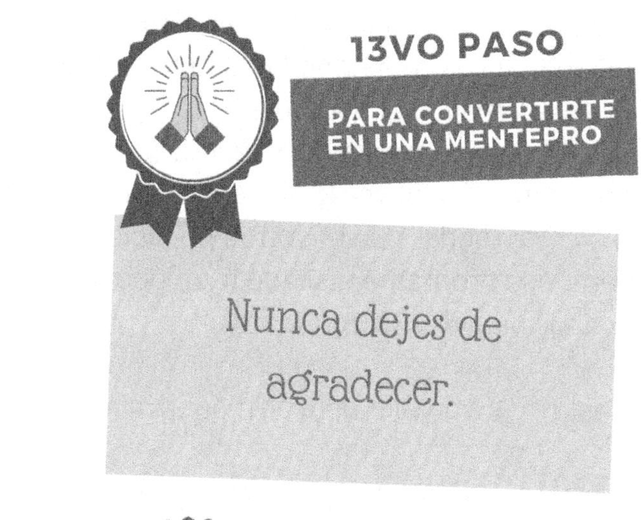

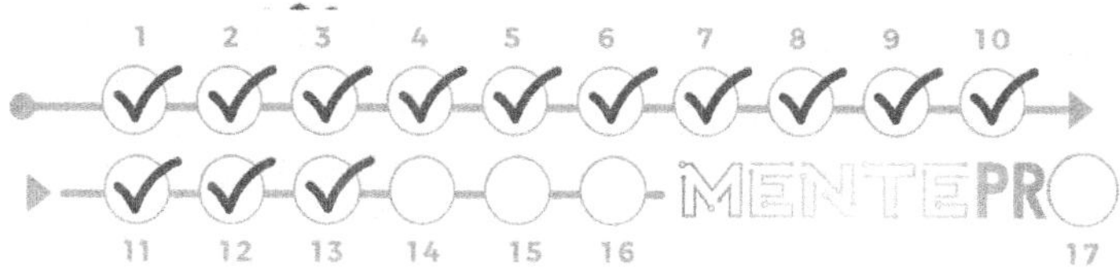

LA MENTE SE PROGRAMA, SE DESPROGRAMA Y SE REPROGRAMA

Así como la mente se **PROgramó** con la percepción de una vivencia que se convirtió en creencia para no vivir en **PROsperidad**, así mismo cambiando la percepción de esa vivencia se **rePROgrama** la mente para llevarte a vivir en **PROsperidad**.

¿Cómo? Sí, aunque lo dudes, lo único que tienes que hacer es cambiar la percepción que generó la creencia para **desPROgramarte**.

Generalmente, cuando encontramos el programa surge la pregunta, ¿y ahora qué hago? Esa creencia genera reacciones en automático. Cuando tú te das cuenta de dónde viene esa creencia, esta se elimina porque inicia un cambio de modelo mental. El punto en la Biodesprogramación es llevarnos a comprender que nosotros no hicimos nada para generar ese programa, así que tampoco tenemos que hacer nada para **desPROgramarlo**.

Analicémoslo más a detalle, pero de manera simple:

Vives una experiencia que te impacta. En esa vivencia va impresa toda tu percepción, es decir, puedes verlo de mil maneras, pero basada en tu percepción es la creencia que se programará en tu cerebro. Cuando tomas consciencia sucede lo mismo, pero a la inversa: visualizas de dónde viene el programa y te das cuenta de que todo es una ilusión que no necesariamente va a pasar de nueva cuenta, así que tu mente deja de protegerse con ese programa al que una vez percibió como peligroso. Una vez que seas consciente, la creencia poco a poco va a ir cambiando y es porque te has dado cuenta de que lo único que buscaba tu mente era protegerte.

OBSERVA TUS PENSAMIENTOS

Cuando empieces a darte cuenta de tus programas, es necesario que te detengas a observar tus pensamientos. ¿Por qué? Porque a partir de que tomas consciencia, tienes que ser cuidadoso de que tus pensamientos correspondan a aquello que deseas, tienen que ser coherentes y si no corresponden tienes que cambiarlos de inmediato. Este cambio es muy necesario, porque si tus pensamientos no corresponden a aquello que deseas, el cerebro no va a encontrar la coherencia y seguirás viviendo lo mismo. No puede existir un solo miedo o duda de lo que piensas, porque entonces eso que deseas no llegará, si los miedos o las dudas persisten, se tendría que buscar de nuevo de dónde vienen, porque es posible que existan otras vivencias relacionadas. Yo me tardé 2 años y medio aproximadamente para **rePROgramar** mi mente a tener pensamientos positivos y siempre existen momentos donde recaigo, pero soy constante, no quiero con esto generar una creencia de que vas a tardar el mismo tiempo que yo, quizás tú lo haces más rápido, lo que quiero decirte es que no te desesperes y que es un trabajo que no termina, lo que sí te aseguro, es que veras resultados materializados todos los días.

TOMA ACCIÓN

Este consejo me gusta dividirlo de la siguiente manera:

Pasa a la acción, inicia acciones concretas sobre lo que deseas, recuerda que tus pensamientos deben ser coherentes.

Haz sin esfuerzo, con esto me refiero a que fluyas con el Universo; no quiere decir que no hagas, sino que aceptes lo que te sucede como parte del **PROceso**.

Recuerda que el Universo va a conspirar a tu favor una vez que el miedo haya desaparecido, así que haz sin forzar, desapegándote del resultado. Cuando logras desapegarte del resultado, vas a disminuir el estrés y eliminarás los miedos que solo atraen aquello que no quieres. Recuerda que el apego solo refleja un miedo a no tener.

Asegúrate de hacer lo que te gusta, no hagas nada que no te apasione, nunca te va a ir bien haciendo cosas que no te gustan.

Nunca dejes de buscar, el cambio a veces no es de un día para otro, así que tendrás que ser paciente y perseverante. Mi cambio, por ejemplo, se comenzó a ver reflejado dos años y medio después de mi trabajo personal.

Siempre apuéstale al sí, nunca dudes y nunca dejes de hacerlo, mantén tu mente positiva, apostándole a la mejor oportunidad. Siempre mantente en el modo posibilidad, en un, ¿qué tal si sí?

No te olvides de agradecer, el estar agradeciendo constantemente te va a mantener en un estado positivo y vas a observar que se refleja en todo lo que hagas, cuando agradeces lo que tienes, estás en la abundancia, cuando te quejas de lo que te falta, estás en la carencia.

El cambio en cada persona es diferente, no existe un tiempo exacto para que este se lleve a cabo, puede tardar de meses, hasta años, por eso es que siempre hay que estar abiertos a la posibilidad, siempre hay que apostarle al sí. ¿Por qué el cambio jamás va a ser de un día para otro? Porque el pensamiento no lo podemos cambiar de la noche a la mañana, como todo, requiere un **PROceso** y es muy normal si en algún momento nuestros pensamientos nos traicionan y nos hacen caer, lo que refleja que de alguna manera nos estamos resistiendo al cambio. Tienes que alinearte con lo que piensas y lo que dices, no te rindas. Si es necesario, repítete todos los días que sí se puede y no dejes de intentarlo, aleja ese miedo que de manera inconsciente te va a estar reteniendo y, sobre todo, no te resistas al cambio.

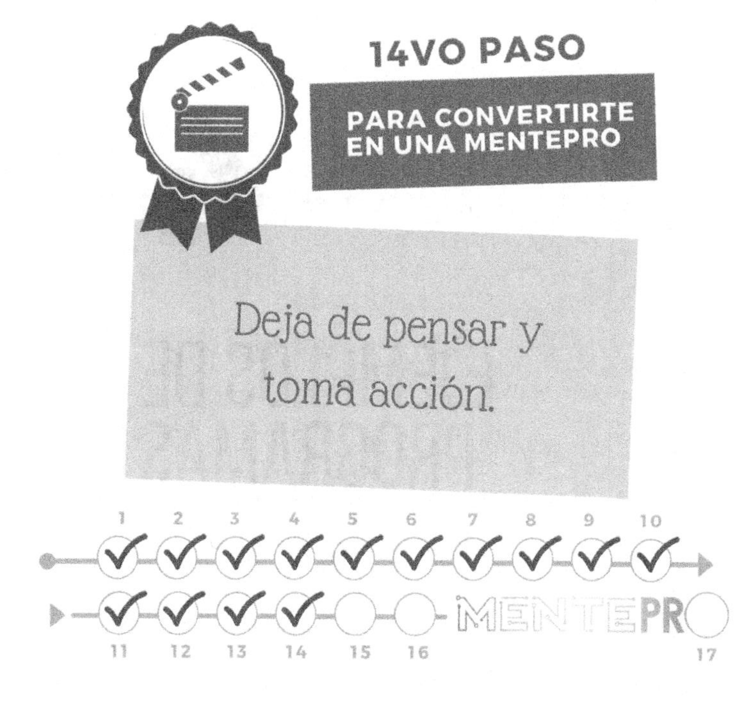

4

EJEMPLOS DE PROGRAMAS

En esta sección, me gustaría compartirte algunas anécdotas propias que me han sucedido durante mi recorrido en la búsqueda de información, para lograr mi propia Biodesprogramación, te la comparto para que a través de ella puedas ver cómo se indaga, como son los programas que nos condicionan y así puedas lograr tu propia Biodesprogramación trascendiendo a través de la comprensión de tu propia información.

Durante el **PROceso** de indagación sobre los actos de tus ancestros, es necesario que no pierdas de vista que no debes hacer un juicio de las malas decisiones que se tomaron en el pasado y que estas quizá te pudieron haber afectado, tan solo debes comprender que tú tienes la oportunidad de decidir correctamente y hacer una diferencia para las generaciones venideras.

Y, por supuesto, siempre agradecer todo, porque todo es aprendizaje.

EL ENCUENTRO CON MI INFORMACIÓN

Cuando inicié mi **PROceso** lo hice cansado de repetir lo mismo, pero nunca pensé que esto fuera doloroso, y lo es porque te enfrentas contigo mismo, hacerlo a veces te lleva a reconocer que has estado equivocado, lo cual duele.

Reconocer que no tienes la razón y que te equivocaste también te hace consciente de que puedes volver a elegir. Mientras exista vida, no importa la edad, puedes volver a elegir.

Recuerdo que la primera vez que **desPROgramé** algo, fue cuando me di cuenta que yo siempre he sido muy distraído y "culpaba" a un diagnóstico médico de mi infancia, cuando una supuesta infección me había provocado fiebres tan altas que era probable que el resto de mi vida me costara trabajo retener información y concentrarme.

En mi mente eso quedó grabado a fuego y me decía a mí mismo que estaría limitado para retener y para poner atención y ¿Qué creen? Así fue.

Todo el tiempo se me olvidaban las cosas, era muy distraído, a todos lados llegaba tarde, y mi argumento siempre era ***"disculpe, es que a mí se me va el avión y no me acordaba de...".*** Así fue durante muchos años, pero un día me di cuenta de que lo hacía solo para justificar mis fallas y validar mi creencia de que yo era muy distraído. Yo de distraído no tenía nada, incluso haciendo un análisis **PROfundo** podría darme cuenta que había logrado más que muchos de mis ex compañeros de la facultad, pero me pregunté, ¿de dónde viene esta creencia tuya que eres distraído? Recordé aquel día de mi infancia en el que el doctor le decía a mi madre ese diagnóstico que se convirtió en una profecía.

Hoy comprendo que fue solo una creencia de él, que hice mía, pero a partir de ese momento jamás volví a decir que se me iba el avión, ni a llegar tarde, ni a olvidarme de cosas importantes, comprendí que mi capacidad mental era igual a la de cualquier otra persona.

Recuerda que al final todo es creencia y siempre acabamos validando lo que creemos.

¿SE PUEDE HACER DINERO SIN DINERO?

Vayamos algunos años atrás. Tenía 25 años aproximadamente, acababa de renunciar a la empresa en la que trabajaba, era la tercera vez que intentaba renunciar, pues mi jefe, el dueño de la empresa, siempre acababa deteniéndome con un aumento de sueldo que terminaba por convencerme; pero esta vez ya era definitivo, lo había pensado bien, lo que me motivaba era que quería hacer mi propia empresa y despegar alto, creía que tenía todo para hacerlo, aunque en realidad no tenía nada.

No tenía ni dinero ni equipo de trabajo, solo contaba con 14,000 pesos - 600 dólares aproximadamente -, derivados del pago de mi última quincena, estaba decidido a empezar mi propia agencia de publicidad.

Lo primero que hice fue comprarme un escritorio y una silla, sencillos, nada del otro mundo, pues mi presupuesto no era alto. Después acudí con un amigo para comprarle una computadora, que estaba vendiendo a un precio económico y le pedí tiempo para irla pagando.

Una vez equipado con mi escritorio y mi computadora me instalé en la sala de mi departamento y me puse a trabajar, con la plena certeza que podía lograrlo. Estaba abierto a la posibilidad.

Cuando visitaba a un cliente siempre hablaba con formalidad, diciendo el nombre de mi empresa y le daba los datos de los trabajos anteriores que había realizado. Al principio me las tuve que arreglar por mi cuenta, ya que no tenía diseñadores ni dinero para pagar una buena presentación digital, pero encontré la manera, aunque eso implicó quedarme hasta altas horas de la noche trabajando frente a mi computadora.

Cuando hice mi primera venta grande, finalmente pude rentar una casa, por lo que dejé el departamento en el que estaba viviendo.

En esa casa hice una de las habitaciones mi recámara y le puse llave. Conforme fue creciendo la agencia comencé a contratar diseñadores freelance y después les ofrecí rentarles un espacio de mi oficina a cambio de diseños con tal de tenerlos trabajando ahí. Ellos, por supuesto, tenían la libertad de tener otros clientes, pero con esto logré que cuando mis propios clientes iban a la agencia, vieran un equipo de trabajo formado.

Yo seguía viviendo ahí pero mi equipo de trabajo no sabía, así que, en más de una ocasión, cuando llegaban los diseñadores yo aún me estaba bañando o haciendo de desayunar. Nunca me descubrieron y ahora puedo asegurar que nunca se dieron cuenta de que yo vivía en la oficina. Ahora que lo recuerdo, pienso que de verdad cuando uno quiere y cree que puede no hay nada que te detenga, siempre existen mecanismos para lograrlo.

Meses después, renté una casa de tres pisos que estaba frente a la casa en la que residía. Trasladé mi empresa de publicidad a esa casa, ahora me sobraba espacio y lo que hice fue ofrecerles en renta ese espacio a mis proveedores de impresión de lona y papelería, mismos que aceptaron.

Entonces ya tenía diseñadores, un impresor de lona con plotter y hasta una imprenta offset, todo en mi oficina y sin que me costara, al contrario, cobraba por tenerlos ahí conmigo.

En tres años logré construir una empresa sin la necesidad de miles de pesos, esto porque yo nunca tuve la creencia de que se necesitaba dinero para poder hacerlo.

Sí se puede hacer una empresa sin dinero, yo comencé la mía con muy poco.

Hoy he formado un grupo con 3 empresas, que, si queremos verlo así, todo inició con aquellos $14,000 pesos, aproximadamente $600 dólares.

¡NO ME ABORTEN DE LA FAMILIA, POR FAVOR!

Yo siempre he sido una persona altruista, confío mucho en la buena fe de las personas y he ayudado siempre que he podido.

Esto se lo debo a dos cosas. La primera es el ejemplo de mi madre, quien siempre ha visto por los demás, la segunda a mi proyecto sentido, el cual descubrí cuando me di cuenta que me gustaba ayudar, pero en exceso, incluso al grado de detectar que era un problema para mí, me refiero a que me sentía mal cuando no podía hacerlo, difícilmente decía que no a algo, aunque no quisiera, ¿de dónde venía este exceso?

Todo esto ocurrió antes de que yo naciera, cuando mi padre se enteró de que mi madre estaba embarazada de mí.

La noticia no fue nada grata para mi padre, de hecho, le pidió a mi madre que me abortara, porque en la empresa en la que trabajaba estaban haciendo recorte de personal. Para sorpresa de mi padre, ella se negó rotundamente y terminó por irse a Guadalajara, porque la amenazó de que, si no abortaba, él no se responsabilizaría ni de mi hermano mayor ni de mí.

Mi madre tenía la necesidad de protegerme y evitar que mi padre la forzara a abortar.

Tiempo después, el dueño de la empresa donde mi padre trabajaba, se comunicó con mi madre para preguntarle la razón de su partida y mi madre le explicó la situación. Resulta que el dueño de la empresa, Juanjo, era amigo de mi padre y nunca pensó en despedirlo, así que se lo dijo a mi madre. Hablaron, arreglaron el malentendido y mis padres volvieron a estar juntos.

Un día, de regreso de un viaje me preguntaba de dónde venía esa necesidad inconsciente de ayudar a los demás al grado de ser un exceso, por lo tanto, un problema en mi vida, fue aquí donde una mañana le pedí al Universo que me mostrara de dónde venía esta necesidad mía de ayudar. El Universo atendió mi pedido con rapidez, pues no había pasado ni una hora cuando mi madre me llamó llorando y me citó en su casa para contarme la historia de su embarazo, es decir, el proyecto sentido que yo, hasta ese día, desconocía.

Cuando me contó la historia, comprendí que mi proyecto era portarme bien para evitar que me abortaran de la familia y eso lo trasladaba a todas las áreas de mi vida.
Mi madre estaba llorando, yo estaba feliz porque había encontrado la respuesta a mi pregunta, pero de igual manera era una escena bastante triste, y más cuando ella me dijo que mi padre se había arrepentido de haberme querido abortar, porque me había convertido en su mejor hijo. Eso hizo que mi padre expresara su arrepentimiento por aquella situación diciendo ***"Fernando es un estupendo hijo, ¿cómo es posible que pensé en abortarlo?"*** incluso mi madre dice que más de alguna vez lo dijo llorando.

Como yo ya era consciente, le dije a mi madre que lo que nunca supo mi padre era que me convertí en su mejor hijo porque mi inconsciente sabía que si no lo hacía, él me abortaría de la familia, pues eso queda grabado en mi inconsciente por haberse vivido durante el embarazo. Mi cerebro ya cargaba con la información de que me iban a abortar, entonces durante el transcurso de toda mi vida, estuve haciendo cosas para que mi padre dijera que tenía un buen hijo y no me "abortara".

Estas líneas, que escribo en el día del cumpleaños de mi madre, van como agradecimiento a ella, por haberme protegido y a mi padre, porque no continuó con la idea de que me abortaran. Gracias a esa información hoy me dedico a ayudar a las personas, aunque ahora lo hago consciente y sin apego de que es mi proyecto sentido.

Muchas veces parte de la ayuda que yo doy es económica, ahora comprendo el por qué: la falta del dinero era la causa de que a mí me fueran a abortar, de ahí mi exceso desbordado de dar dinero para que no me aborten, o bien, que nadie sufra por la falta de este.

CREENCIAS INCONSCIENTES Y LIMITANTES

Hace tiempo una consultante me platicaba que su esposo tenía la capacidad de generar millones de pesos mexicanos como ingreso, sin embargo, casi siempre andaba sin dinero. Ella me contó que su marido llegaba con la noticia de que recibiría tantos millones en ese mes, lo que a ella le alegraba porque tenían bastantes deudas.

Cuando él recibía el dinero, pagaba todas sus deudas, pero nunca hablaba con su esposa de las finanzas, de cuánto dinero le quedaba o si realmente les iba a alcanzar.
Me contó que una vez después de pagar todas sus deudas le dijo a su familia que se irían a Disneyland; cuando regresaron de esas vacaciones, volvió a llegar el momento de los pagos de las colegiaturas de sus hijas, pero el esposo ya se había gastado todo el dinero.

El círculo se estuvo repitiendo por un largo tiempo, así que siempre que le llegaba el dinero, se encargaba de gastarlo rápido.

Una vez que ella comenzó a estudiar la Biodesprogramación, descubrió que había cosas inconscientes, lo que sucedía era realmente un exceso y fue cuando empezó a buscar el programa que llevaba a su esposo a repetir una y otra vez la misma situación.

Resulta que cuando el padre de su esposo murió, ninguno de sus hermanos se hizo responsable, ninguna persona de su familia aportó para los gastos médicos y funerarios más que él, a partir de ahí comenzó a gastar rápidamente todo lo que ingresaba. Su cerebro, entonces, se programó para gastar el dinero en cuanto estuviera en sus manos, porque el inconsciente sabía que, si algo pasaba o alguien enfermaba, él volvería a cubrir esos gastos y se quedaría sin nada.

Era como si el cerebro pensara ***"gástalo en ti y en tu familia antes de que otra cosa suceda."***

Lamentablemente, él nunca abrió el mensaje y se murió sin ningún peso para su propio funeral, pero mi amiga se encargó de tomar consciencia de lo que había sucedido y entendió que su esposo los había llevado a vivir esa situación por su programa y su creencia de que, si guardaba el dinero, en cualquier momento algo pasaría que lo terminaría gastando.

NO SABER COBRAR POR NUESTRO TRABAJO TAMBIÉN ES UN PROGRAMA

Un día, en la parte final de un curso, estaba trabajando el ejercicio de la línea de la vida para ayudar a mis alumnos a encontrar sus programas, para que descubrieran de dónde venía ese programa que les evitaba vivir en abundancia.

Mi mirada pasó de un lado a otro, examinaba sus rostros esperando ver alguna reacción, esa que sucede cuando alguien se da cuenta de algo, al final mis ojos se detuvieron en una chica.
Durante todo el curso se había mantenido callada, sentada en la esquina más alejada, pero esa vez tenía la mano levantada, parecía estar ansiosa por trabajar, pero al mismo tiempo podía ver la duda en ella.

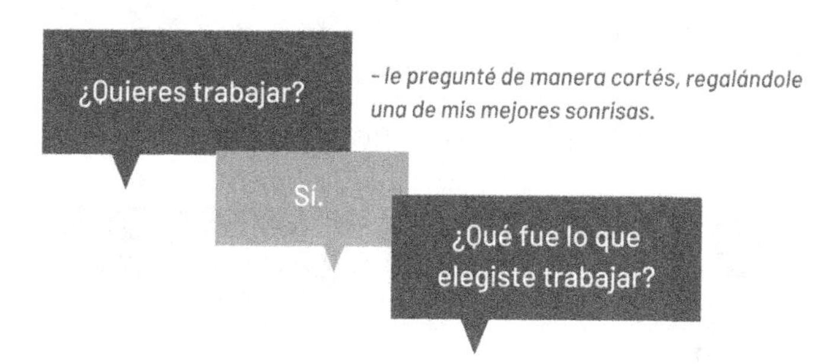

Al principio ella se quedó en silencio, parecía dudar de decirlo en voz alta, pero al final tomó valor y dijo:

No estoy cobrando lo que debería en mi trabajo, muchas veces por el temor de que mis clientes se vayan. Básicamente, regalo mi trabajo.

Con una sonrisa asentí, pues comprendía lo que ella estaba tratando de decirme.

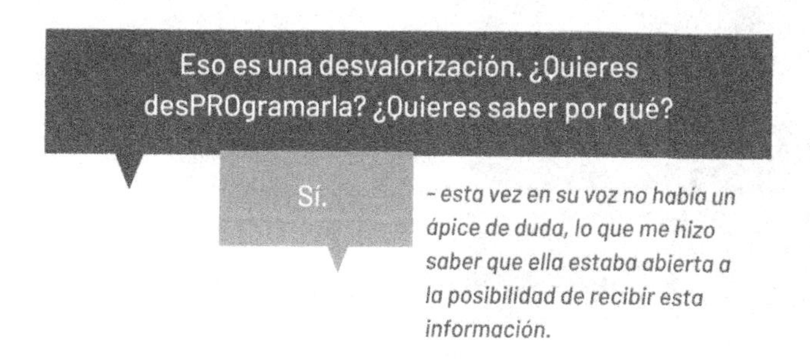

Lo primero que pensé fue en que, como la mayoría de los programas, debía estar relacionada con el padre, pero lo que más me hizo click, era el hecho de que probablemente tuviera que ver con un abandono.

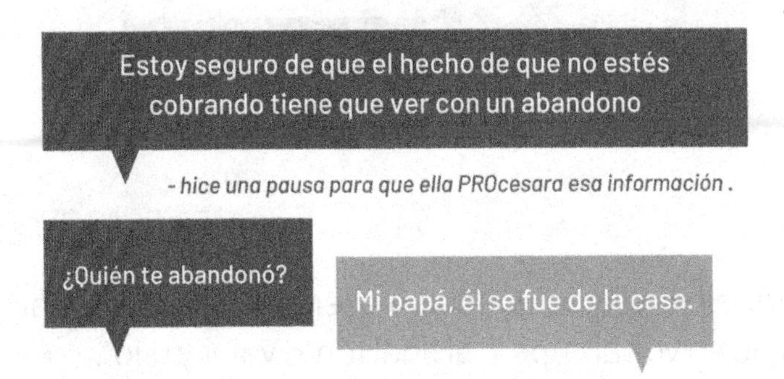

Su respuesta me confirmó que había tomado el camino correcto para abordar su caso, así que proseguí con las preguntas.

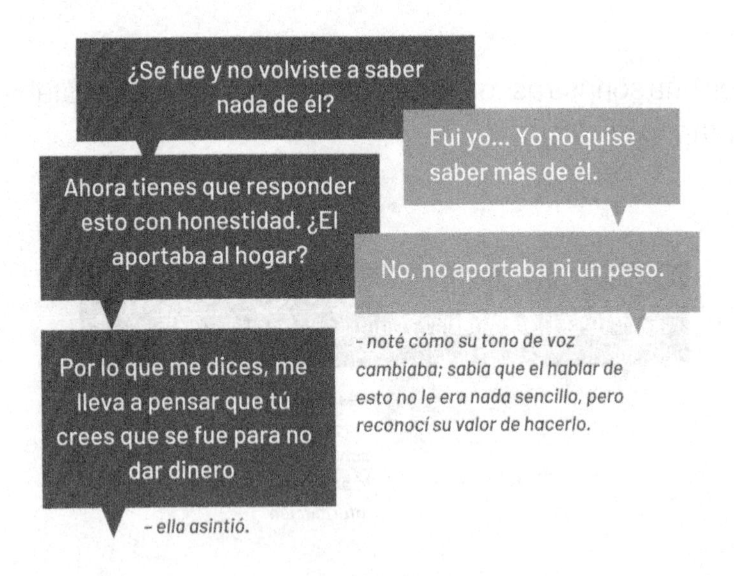

Siempre he dicho que la BiodesPROgramación parece magia, porque en el momento en el que vas buscando la información, encuentras cosas que te hacen click, que te obligan a darte cuenta.

Y duele, duele bastante el darse cuenta, algunas personas se cierran en su burbuja de protección, no se dan la oportunidad de abrirse a esa información, así que es mejor dejarlo hasta que estén listas.

Pero este no era el caso, ella estaba completamente decidida a dejar entrar esa información.

Te pregunto ¿alguna vez escuchaste decir a tu madre que tu padre se fue para no dar dinero? ¿Te resuena esa parte?

Realmente mi madre no habla mucho de ese tema, pero varias veces la he escuchado decir que fue un hombre muy irresponsable.

Necesito que ahora te fijes cómo esta situación la estás viviendo con todos tus clientes.

Hubo un corto silencio, porque a pesar de que ella estaba recibiendo la información, de alguna u otra forma no lograba comprenderla, quiero creer que era porque su cerebro se estaba resistiendo a darse cuenta.

Con una sonrisa en los labios volví a la carga, tal vez era cuestión de explicarlo más detalladamente.

Fijate bien. Tu papá se fue para no dar.

- le dije de manera lenta y pausada .

Entonces tú a tu cliente le haces sentir que no importa que no te dé o no te pague, pero a cambio inconscientemente le dices que no se vaya.

Volvimos a mirarnos y pude ver como sus ojos se cristalizaban, pudo haber sido una fracción de segundos, pero ella se estaba dando cuenta, y le estaba doliendo.

Inconscientemente, tú estás reflejando esa necesidad de decirle a tu padre "papá, no importa que no me des, pero quédate", en tus clientes, y es por ello que no cobras. El que alguien se vaya de tu vida representa un dolor, es por eso que tu cerebro va a intentar protegerte de ese dolor, aunque eso signifique el no cobrar lo que deberías por tu trabajo. Te estás protegiendo de un abandono.

Ella estaba lista para poder **PROcesar** la información que le estaba dando, pero de igual manera quise dejarle algo en claro.

Creemos que nos protegemos, y es muy probable que tu cerebro sienta que te protege de ese abandono al evitar cobrar, pero la verdad es que siempre te van a abandonar. Dime, ¿qué ser humano has conocido que esté permanentemente contigo?

Nadie.

- me comentó mientras fruncía ligeramente el ceño.

Es muy difícil percatarnos de que ninguna persona va a estar ahí para nosotros toda la vida, pues somos temporales, si lo vemos de esta manera, podría decirse que cada que yo voy a un lugar y llega la hora de partir, voy a estar abandonando a esas personas que permanecen en ese lugar.

Desde esta lógica, nadie nos abandona, simplemente pasan por nuestra vida un tiempo.

Si comprendes esto, poco a poco irás generando un cambio. Te diré una cosa, tu cliente se va a ir y no vas a tener la certeza de si va a regresar o no, así que cóbrale. Deja de creer que si cobras te van a abandonar, empieza a validar tu trabajo. Y te diré otra cosa, tu papá no se fue por no dar, se fue porque a él también lo abandonaron.

Y así fue como terminé con esta Biodesprogramación, ayudándole a que encontrara ese programa que la estaba llevando a vivir en la carencia.

> No hagas juicios, no conoces la historia completa de nadie.

PROFESIÓN - PROPASIÓN

¿Cuántas veces te han dicho que para ser feliz debes dedicarte a lo que te gusta? Pero muchos de nosotros caemos en la creencia de elegir entre lo que nos gusta o lo que nos remunera. Date cuenta que el integrar lo que te apasiona a tu vida diaria es un punto clave para la **PROsperidad**

El hacer lo que nos apasiona está ligado a nuestras habilidades, aptitudes, motivaciones, creencias, forma de vida, etc., y es correcto, es impenetrable para los seres humanos tener entusiasmo al realizar alguna actividad, pero el estado ideal sería que eso que nos gusta y nos apasiona nos genere una ganancia. Entonces, ¿qué sucedería si eso que me gusta no me da una retribución económica? Podemos citar un ejemplo: ***"A Juan le apasiona tocar la guitarra, lo hace excelente, tiene la idea de ser famoso; Juan trabaja en una empresa de distribución de mercancía, le va bien y con ese trabajo puede mantener a su familia",*** la pregunta es, ¿Juan debe dejar su empleo y perseguir su sueño?; Lo que se puede permitir hacer o no, él lo decide, la cuestión es que exista un equilibrio entre los dos.

Ser **PROductivo** y generar riquezas no se debe de tratar como algo ajeno a aquello que disfrutamos hacer, el dinero no está en conflicto con tu realización personal, aquí es donde tienes que hacer un análisis **PROfundo** sobre tus sueños y aspiraciones, para que no las dejes de lado; para que no las dejes de lado; ya que si decides olvidarte de ellos, te puede ocasionar sentimientos de frustración y tristeza.

Continúa haciendo lo que te gusta en convivencia con las actividades que te sean retribuidas económicamente, que tu **PROfesión** - **PROpasión** sean **PROductivas** y **PROvechosas**.

PARA SER UNA MENTEPRO ES NECESARIO DESARROLLARSE COMO PERSONAS PROACTIVAS.

Y lo más importante;
Hazlo todo con amor y
sin apego al resultado.

5

ALGUNAS RESPUESTAS Y SUGERENCIAS

Si analizamos, la mayoría de las creencias que tenemos se gestan en la infancia, ¿por qué sucede esto?
Esto se debe a que un niño no tiene la misma interpretación que un adulto, entonces cualquier situación que viva, la va a maximizar. Por ejemplo, si dejas a un niño por una hora después de que salió de la escuela, para el niño eso solo significa un abandono, va a cargar con eso toda su vida, como ya lo comentamos, las vivencias que programan nuestras creencias son aquellas vividas con intensidad.

¿Qué es la cuenta kármica?
Es la carga emocional y energética de los ancestros, si para ellos algo quedó pendiente, de alguna u otra manera, a ti te va a tocar resolverlo.

¿Cómo podemos modificar lo que ya se vivió?
Lo vas a lograr en el momento en el que empieces a generar cosas positivas, cuando a esa vivencia le cambies la percepción de negativo a positivo. Es muy probable que eso que estás viviendo sea una circunstancia ajena a ti, y siendo así no se puede modificar, es aquí donde aplica el rendirse a la verdad, lo único que sí puedes modificar, es la manera en que lo vives, ya que ahí sí tienes tú el control, dándole un significado positivo.

¿Cuál es el sentido de estar repitiendo?
Las repeticiones tienen un sentido biológico, la reparación. Si tú repites una y otra vez un evento, es porque tu cerebro te está mandando el mensaje de que necesitas repararlo y para esto es necesario tomar consciencia, ya que al ser cien por ciento consciente es cuando vas a intentar repararlo;

de manera inconsciente ni siquiera te darás cuenta de qué es aquello que necesitas reparar.

¿Cómo puedo dejar de depender económicamente de mi pareja?

Primero tienes que preguntarte si a ti realmente te gustaría generar para independizarte, después debes ponerte a pensar en todo aquello que no estás haciendo, pero que deberías hacer para poder iniciar tu independencia. Comienza a pensar en cuál sería el primer paso que debes de tomar. Es importante comprender que lo puedes hacer paulatinamente.

¿Hay algún atajo o una técnica para poder buscar la información de un programa?

Sí, se llama "La línea de la vida".

Para esto vas a tomar una hoja de papel y vas a trazar una línea horizontal en la que vas a marcar con una pequeña raya cada cinco años, hasta que llegues a tu edad actual.

Tienes que definir con claridad lo que vas a trabajar, te sugiero que lo hagas con dinero o con pareja.

Una vez que ya hayas trazado la línea y esté marcada, te harás las siguientes preguntas: ¿Qué es lo que me pasa? ¿Desde cuándo me pasa? ¿Cuál es la repetición en esto que me pasa? Recuerda que la información está en lo que se repite.

Finalmente vas a marcar en qué momento de tu vida empezó el suceso, con ayuda de las otras preguntas, vas a empezar a darte cuenta de las cosas, hasta que finalmente llegues a donde está el programa y el miedo que lo genera.

Recuerda que solo vas a poder encontrar la información si estás abierto a la posibilidad.

LA LÍNEA DE LA VIDA

¿Qué es lo que me pasa? ¿Desde cuándo me pasa?
¿Cuál es la repetición en esto que me pasa?

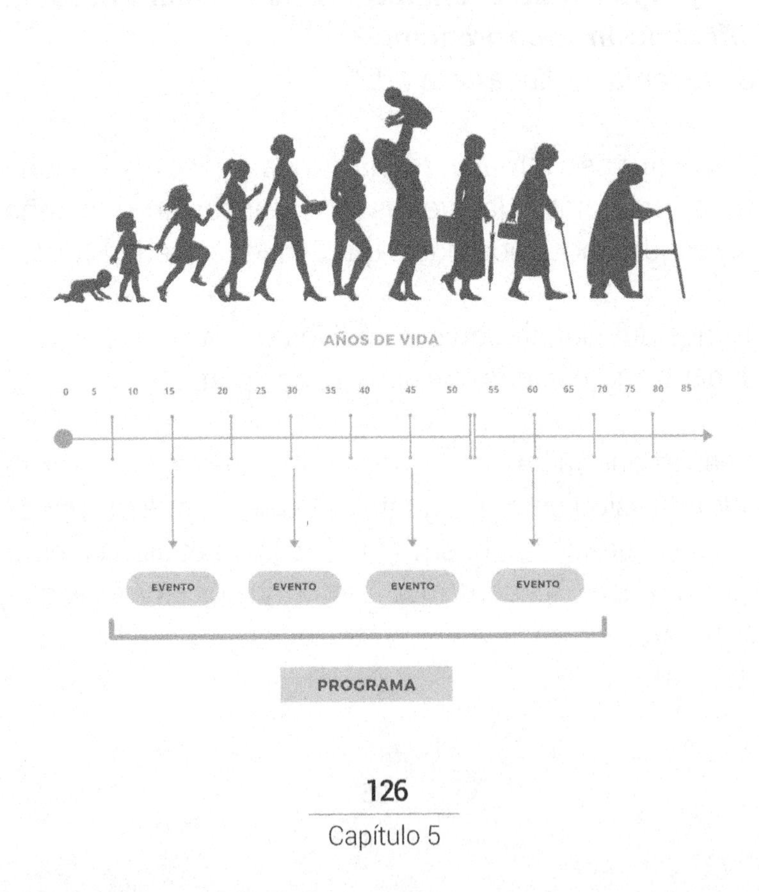

Antes de irnos...

Esta travesía casi llega a su fin, pero no sin antes brindarte una recopilación de las sugerencias que podrán ayudarte a empezar a experimentar la abundancia y la **PROsperidad**:

- Nunca olvides que la naturaleza es abundante en todo.
- Deja de creer que la suerte existe.
- Ten en mente que todo es manejable, a excepción de la muerte, solo necesitas hacerte cargo.
- Abre todos los mensajes que recibas, todas las personas y tu relación con ellas traen un mensaje para ti.
- Sé consciente, date cuenta de las cosas y que todo tiene un inicio.
- No dudes
- Desapégate del resultado.
- Soltar lo que crees que es malo, es abandonar a tu cuenta Kármica.
- Ríndete ante la verdad y acepta tu realidad.
- Coserva las creencias positivas.
- Crea un listado de todas las cosas que quieres agradecer, repásalas todos los días.
- Empieza a desear.
- Nunca dejes de agradecer.
- Deja de pensar y toma acción.
- No hagas juicios, no conocer la historia completa de nadie.
- Haz lo que te guste; y asegúrate de que eso funcionará generando un beneficio económico.
- Y lo más importante hazlo todo con **AMOR Y SIN APEGO AL RESULTADO.**

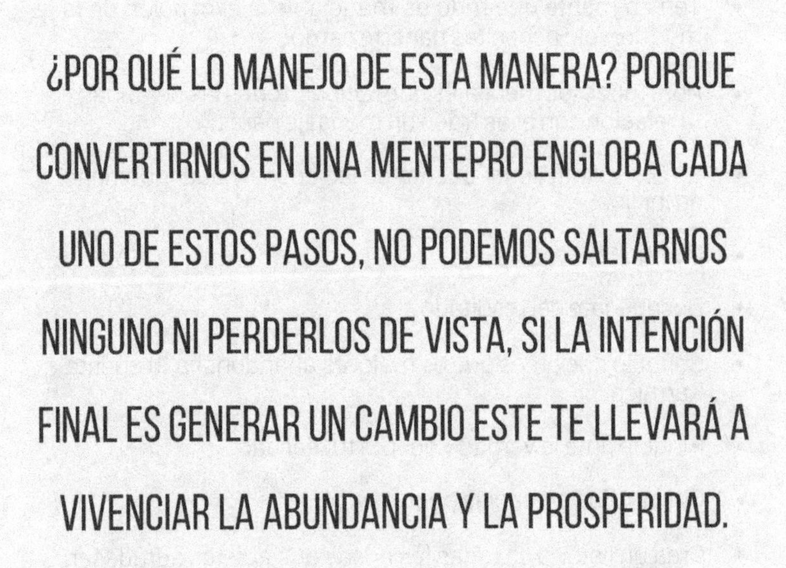

¿POR QUÉ LO MANEJO DE ESTA MANERA? PORQUE CONVERTIRNOS EN UNA MENTEPRO ENGLOBA CADA UNO DE ESTOS PASOS, NO PODEMOS SALTARNOS NINGUNO NI PERDERLOS DE VISTA, SI LA INTENCIÓN FINAL ES GENERAR UN CAMBIO ESTE TE LLEVARÁ A VIVENCIAR LA ABUNDANCIA Y LA PROSPERIDAD.

AGRADECIMIENTOS

A Dios y al Universo, por permitirme estar aquí en esta tercera dimensión y mostrarme la luz que me hizo ver lo importante de compartir.

A mi padre, que siendo mi doble por concepción, es quien ha sido y sigue siendo mi mayor maestro de lo que es correcto y lo que no.

A cada una de las personas que se han cruzado en mi vida, a los más de 1,000 alumnos y 4,000 consultantes repartidos en todo el mundo que han creído en mi trabajo; a ellos les dedico este libro con amor y sin apego al resultado.

A todos mis ancestros, pero sobre todo a mi doble y gran maestro Sáenz, aunque no lo conocí, sé que me manda las ideas para poder trascender de una u otra manera.

A mi alumna y gran amiga la señora Alejandra Tello, por acercarme a mi gran maestro Sáenz y compartirme lo que vengo a reparar e impulsarme a compartir que la pasión es la que nos ayudará a salir del pánico que a veces se tiene de existir.

Como último, quiero agradecer especialmente al Dr. Rycke Geerd Hamer, por el legado que nos dejó y a quien reconozco todo lo que descubrió y todo lo que tuvo que sobrepasar para que esto trascendiera y llegara a nosotros. Esto es una manera de decirle que no fue en vano lo que hizo; somos muchas las personas que divulgamos lo que descubrió y yo siempre lo reconoceré.

Made in the USA
Monee, IL
23 October 2024